LA CUISINE TRADITIONNELLE
DE LA FERME

LA CUISINE TRADITIONNELLE
DE LA FERME

Liz Trigg
Traduit par Gisèle Pierson

Manise

Édition originale 1997 au Royaume-Uni par Parragon
sous le titre *Farmhouse Cooking*

© 1997, Anness Publishing Limited
© 1999, Manise, une marque des Éditions Minerva
(Genève, Suisse), pour la version française

Éditrice : Joanna Lorenz
Responsable du projet : Gaby Goldsack
Rédactrice : Jenni Fleetwood
Graphisme : Siân Keogh, Axis Design
Illustrations : Anna Koska

Traduction : Gisèle Pierson

Les éditeurs souhaitent remercier les collaborateurs suivants : Carla Capalbo,
Jacqueline Clark, Maxine Clark Cleary, Carole Clements, Stephanie Donaldson, Joanna Farrow,
Christine France, Christine Ingram, Judy Jackson, Patricia Lousada, Norma MacMillan,
Katherine Richmond, Laura Washburn, Steven Wheeler, Elizabeth Wolf-Cohen.

Ils souhaitent également remercier les photographes suivants : Karl Adamson, Edward Allwright,
James Duncan, John Freeman, Michelle Garrett, Amanda Heywood, Patrick McLeavey.

ISBN : 2-84198-126-6
Dépôt légal : juillet 1999

Imprimé à China

*Note de l'éditeur : Les thermostats indiqués en équivalence des températures de cuisson au four se réfèrent à un four
disposant d'un thermostat de 1 à 10 ; pour les thermostats gradués jusqu'à 8, il est nécessaire d'adapter ces valeurs.
Les températures sont elles-mêmes données à titre indicatif et doivent être ajustées à la puissance de chaque four.*

Sommaire

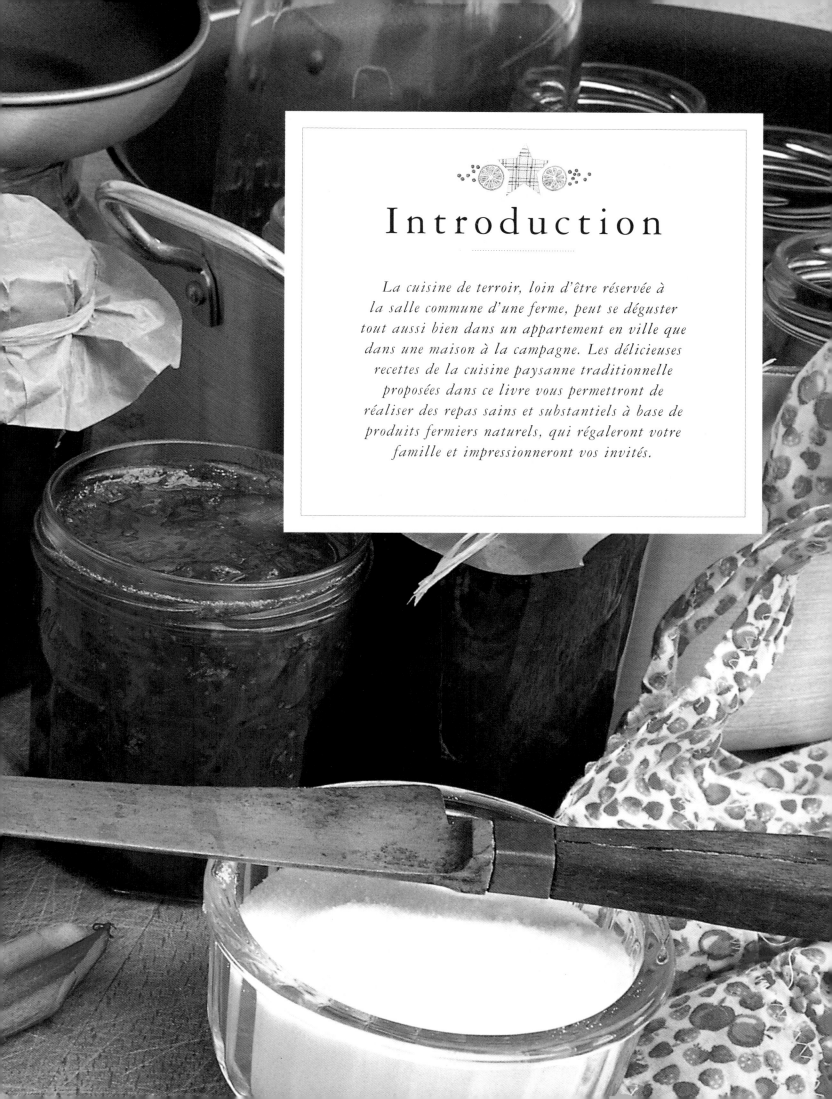

Introduction

*La cuisine de terroir, loin d'être réservée à
la salle commune d'une ferme, peut se déguster
tout aussi bien dans un appartement en ville que
dans une maison à la campagne. Les délicieuses
recettes de la cuisine paysanne traditionnelle
proposées dans ce livre vous permettront de
réaliser des repas sains et substantiels à base de
produits fermiers naturels, qui régaleront votre
famille et impressionneront vos invités.*

La cuisine paysanne

C'est dans les fermes que l'on trouve l'une des meilleures cuisines du monde. Fermes des vergers anglais ou des vignobles français, de la prairie canadienne ou des vertes collines de Nouvelle-Zélande, elles possèdent toutes un point commun, la cuisine, pièce principale et cœur de la maison.

Les paysans aiment la bonne cuisine. Travailler la terre est l'une des meilleures façons de stimuler l'appétit et les légumes du potager encore humides de rosée, agrémentés de fines herbes fraîches, sont un excellent moyen de le satisfaire.

C'est peut-être la proximité de ces produits de premier choix qui donne son caractère particulier à la cuisine paysanne, simple, chaleureuse et rustique. Une laitue choisie dans un rang de salades, accompagnée d'une botte de radis, de quelques feuilles d'oseille et de brins de ciboulette, ne nécessite pas un assaisonnement sophistiqué. Cueillir ses propres fraises et les servir avec de la crème fraîche fournie par des vaches dont on connaît le nom : voilà un dessert digne des plus grands restaurants.

Ce type de nourriture a toutefois quelques inconvénients. Contrairement aux citadins, qui trouvent au supermarché des produits du monde entier, les fermiers doivent utiliser ce qu'ils ont sous la main, désavantage très relatif. Beaucoup d'entre nous ont oublié le plaisir d'écosser les premiers petits pois ou de déterrer les pommes de terre nouvelles, si petites et si goûteuses que leur ajouter rien qu'un peu de beurre serait sacrilège. Quand les asperges ne sont plus un légume banal mais un rare régal réservé à une courte saison, elles prennent une saveur tout à fait différente.

Les gens des campagnes savent aussi trouver hors du potager les richesses du terroir. Ils ramassent les champignons et les noisettes, repèrent les prunelliers et cueillent les mûres pour en faire des tartes, des tourtes et de savoureuses confitures.

L'année fermière est ponctuée par les fêtes : Pâques avec ses pains et gâteaux spécifiques ; la fin de la moisson et son pain en forme de gerbe ; enfin, Noël avec son défilé de plats traditionnels – dinde, bûche et autres pâtisseries –, accompagnés de légumes conservés dans du vinaigre et de chutneys.

Les paysans aiment recevoir. Selon le pays et la saison, on nettoie la salle à manger ou on porte la table au jardin, on compose les bouquets, on chauffe le vin ou on le met au frais et l'on cuisine en très grande quantité. Et tant mieux si des invités impromptus s'annoncent, il y en aura pour tous !

C'est ce style de cuisine que nous vous présentons ici : pâtés, tourtes et puddings côtoyant des ragoûts chaleureux et de simples salades. Certains plats cuisent longtemps et lentement pour fondre dans la bouche, d'autres demandent moins de temps de préparation, mais sont tout aussi délicieux !

CI-CONTRE – *Le pain de la moisson est un puissant symbole de la vie paysanne.*

PAGE DE DROITE – *Les produits frais de saison sont à la base de la cuisine de terroir.*

Le potager de la ferme

Si la cuisine est le cœur de la ferme, le potager lui fournit les matières premières. La proximité des légumes frais et des fines herbes fait toute la saveur de la cuisine paysanne. Le parfum d'un bouquet garni de persil, de thym et de laurier tout juste cueillis ne peut se comparer en aucune façon à celui d'un sachet de poudre, et le plaisir d'aller chercher les herbes dans le jardin est toujours renouvelé.

Bien entendu, il n'est pas indispensable de vivre dans une ferme pour profiter des bienfaits du potager. Même si rien ne remplace un petit coin de jardin près de la porte de la cuisine, vous pouvez jardiner sur le rebord de la fenêtre, dans des bacs ou même des pots.

Faire pousser ses propres herbes permet d'essayer des variétés peu courantes. Les horticulteurs spécialisés offrent une vaste gamme de jeunes plants en pots et vous donneront des conseils de plantation, assortis de recettes inédites. Les graines vendues dans les jardineries existent aussi en de nombreuses variétés. Les enfants seront ravis de les semer, en un coin de jardin bien à eux où ils peuvent expérimenter et s'occuper de leurs propres cultures. Ils apprécieront ainsi davantage les plats parfumés aux herbes de « leur » jardin. Et si vous voulez qu'ils redemandent des légumes aux repas, laissez-les les cultiver eux-mêmes !

LES SEMIS

Chaque paquet de graines porte les instructions de semis. Si vous souhaitez faire pousser des herbes et des salades sur un rebord de fenêtre, faites germer les graines dans des barquettes compartimentées, puis repiquez les jeunes plants dans des pots bien drainés. Éventuellement, vous les replanterez plus tard au jardin. Un arrosage régulier et beaucoup de soleil sont une garantie de fraîcheur et de parfum.

Vous pouvez semer les tomates mais la plupart des jardiniers préfèrent acheter des plants, qui réussissent très bien en pots, sur une terrasse, adossés à un mur orienté plein sud. Les légumes tels que les carottes, les radis, les betteraves et les navets devront être semés dans un sol riche, en pleine terre. Éclaircissez les jeunes plants de façon à ce qu'ils aient suffisamment de place pour se développer. Les pousses en surplus feront d'excellentes salades toutes fraîches.

LA CULTURE EN POTS

Les salades et les herbes poussent très bien dans des pots en terre cuite. Arrosez-les régulièrement, sans oublier de vérifier la fréquence des arrosages sur le paquet de graines, certaines herbes aimant l'eau tandis que d'autres, d'origine méditerranéenne, préfèrent une sécheresse relative. Les pots doivent être toujours bien drainés.

Pour n'être jamais à court de salade, semez tous les quinze jours pendant l'été et cueillez selon vos besoins (certaines variétés repoussent à mesure qu'on les coupe). Par temps froid, plantez herbes et salades sous cloche ou dans une serre protégée du soleil. De nombreuses herbes poussent sur le rebord intérieur d'une fenêtre ensoleillée.

LA RÉCOLTE ET LA CONSERVATION DES HERBES

Il est préférable d'utiliser les herbes aussitôt cueillies. Si cela est impossible, conservez les bouquets de persil, menthe, coriandre et ciboulette au réfrigérateur, dans un pot rempli d'eau et couvert d'un sac en plastique. Le thym, le romarin, la lavande et les feuilles de laurier seront attachés en bouquets, puis mis à sécher, suspendus dans un placard aéré. Les herbes séchées se gardent plusieurs mois.

Vinaigrette aux herbes

Cette vinaigrette aux fines herbes accompagnera parfaitement une simple salade verte.

INGRÉDIENTS

* *4 cuil. à soupe d'huile d'olive vierge*
* *2 cuil. à soupe d'huile de noix ou de tournesol*
* *1 cuil. à soupe de jus de citron*
* *4 cuil. à soupe de fines herbes fraîches finement hachées, telles que persil, ciboulette, estragon et marjolaine*
* *1 pincée de sucre*

Pour 12 cl de vinaigrette environ

1

Versez les huiles d'olive et de noix ou de tournesol dans un bocal à couvercle vissé.

2

Ajoutez le jus de citron, les herbes et le sucre. Vissez le couvercle et secouez bien.

EN HAUT, À GAUCHE ET CI-DESSUS — *Semez les graines en barquette sur le rebord d'une fenêtre, repiquez les jeunes plants en pots individuels avant de les planter en pleine terre.*

EN HAUT, À DROITE — *Conservez ciboulette et persil plat au réfrigérateur dans un pot rempli d'eau. Lavande et thym seront liés en botte et mis à sécher.*

Bouillon de viande

Rien ne remplace un bon bouillon de viande fait maison pour parfumer les soupes, ragoûts, daubes et sauces à base de viande.

* 2 kg d'os de bœuf, veau ou mouton, sans gras (jarret, côtes, collier, cuisse), coupés en morceaux de 5 à 10 cm
* 2 oignons non pelés, coupés en quartiers
* 2 carottes coupées en rondelles
* 2 branches de céleri, si possible avec leurs feuilles, coupées en morceaux
* 2 tomates coupées en morceaux

* 4 l d'eau
* 1 poignée de queues de persil
* quelques brins de thym frais ou 2 pincées de thym séché
* 2 feuilles de laurier
* 10 grains de poivre noir légèrement écrasés

Pour 2 l de bouillon environ

1

Préchauffez le four à 230 °C (th. 8). Mettez les os dans un grand plat à four ou dans une cocotte et faites cuire au four 30 min, en les retournant de temps à autre, jusqu'à ce qu'ils commencent à dorer.

2

Ajoutez les légumes et arrosez avec la graisse rendue par les os. Laissez cuire encore 20 à 30 min, jusqu'à ce qu'ils soient bien dorés.

3

Transférez os et légumes dans une marmite. À l'aide d'une cuillère, retirez la graisse du plat ou de la cocotte, ajoutez un peu d'eau et portez à ébullition en grattant les résidus. Versez dans la marmite.

4

Ajoutez le reste de l'eau. Faites cuire à petits bouillons, en écumant souvent. Incorporez les herbes et les grains de poivre.

5

Couvrez partiellement la marmite et laissez cuire à feu doux 4 à 6 h, en rajoutant de l'eau si nécessaire.

6

Passez le bouillon. Retirez la graisse en surface. Si possible, laissez refroidir et mettez au réfrigérateur pour que la graisse fige et soit plus facile à enlever.

Bouillon de poulet

Vous pouvez remplacer le poulet par de la dinde.

INGRÉDIENTS

* 1,5 kg d'ailerons de poulets, carcasse
  et cous (poulet, dinde etc.)
* 2 oignons non pelés, coupés en morceaux
* 4 l d'eau
* 2 carottes coupées en rondelles
* 2 branches de céleri, si possible avec
  leurs feuilles, coupées en morceaux
* 1 poignée de persil frais
* quelques brins de thym frais
  ou 2 pincées de thym séché
* 1 à 2 feuilles de laurier
* 10 grains de poivre noir
  légèrement écrasés

Pour 2,5 l de bouillon

1

Mettez les morceaux de poulet et les oignons dans une casserole. Faites dorer sur feu moyen, en remuant de temps en temps. Versez l'eau et portez à ébullition. Écumez.

2

Ajoutez le reste des ingrédients. Laissez mijoter 3 h. Passez, laissez refroidir et mettez au réfrigérateur. Quand la graisse est figée en surface, retirez-la à l'aide d'une cuillère.

Bouillon de légumes

Variez les ingrédients de ce bouillon parfumé en fonction des légumes dont vous disposez.

INGRÉDIENTS

* 2 gros oignons grossièrement hachés
* 2 poireaux émincés
* 3 gousses d'ail écrasées
* 3 carottes coupées en rondelles
* 4 branches de céleri coupées en morceaux
* 1 long ruban de zeste de citron
* 1 poignée de queues de persil
* quelques brins de thym frais
* 2 feuilles de laurier
* 2,5 l d'eau

Pour 2,5 l de bouillon

1

Mettez les légumes, le zeste de citron, les herbes et l'eau dans une casserole et portez à ébullition. Écumez.

2

Baissez le feu et laissez frémir 30 min, sans couvercle. Passez le bouillon et laissez refroidir.

Soupes et entrées

*Dans la cuisine d'une ferme, le bouillon frémit
doucement sur un coin de la cuisinière, toujours
prêt à former la base de soupes nourrissantes
qui satisferont les appétits aiguisés par le travail
aux champs et un lever matinal. Une fois la moisson
terminée, la fermière peut prendre le temps de préparer
des repas plus élaborés commençant par des pâtés,
des tourtes ou des salades. Ce chapitre vous propose
des recettes pour toutes les occasions et tous les goûts.*

Soupe paysanne aux légumes

Cette soupe revigorante est un concentré des parfums de terroir. Surtout n'oubliez pas la purée de basilic et d'ail qui en accentue la couleur et lui confère un merveilleux arôme.

INGRÉDIENTS

* 300 g de fèves fraîches écossées
  ou 200 g de haricots secs
  mis à tremper toute la nuit
* 1 cuil. et 1/2 à café d'herbes
  de Provence séchées
* 2 gousses d'ail finement hachées
* 1 cuil. à soupe d'huile d'olive
* 1 oignon haché
* petits poireaux finement émincés
* 1 branche de céleri finement émincée
* 2 carottes détaillées en dés
* 2 petites pommes de terre, épluchées
  et détaillées en dés
* 150 g de haricots verts
* 1,25 l d'eau
* 125 g de petits pois frais ou surgelés
* 2 petites courgettes coupées en dés
* 3 tomates pelées, épépinées
  et coupées en dés
* 1 poignée de feuilles d'épinards
  coupées en lanières
* sel et poivre noir du moulin
* quelques brins de basilic frais,
  en garniture

Pour la purée d'ail
* 1 à 2 gousses d'ail hachées
* 15 g de basilic frais
* 4 cuil. à soupe de parmesan râpé
* 4 cuil. à soupe d'huile d'olive vierge

Pour 6 à 8 personnes

1

Préparez la purée d'ail. Dans un mixer, réduisez l'ail, le basilic et le parmesan en purée. Le mixer étant toujours en action, ajoutez peu à peu l'huile d'olive. Vous pouvez également piler l'ail, le basilic et le fromage dans un mortier, puis incorporer l'huile.

2

Si vous utilisez des haricots secs, faites-les bouillir 10 min à gros bouillons. Égouttez. Mettez-les (ou les fèves) dans une casserole avec les herbes et 1 gousse d'ail. Couvrez d'eau. Portez à ébullition. Laissez frémir 10 min (fèves fraîches) ou 1 h (haricots secs).

3

Chauffez l'huile dans une casserole. Mettez à dorer 5 min l'oignon et les poireaux, en remuant de temps à autre.

4

Ajoutez le céleri, les carottes et la gousse d'ail restante. Laissez cuire 10 min.

CONSEIL
Déposez 1 cuillerée de purée de pistou sur la soupe servie dans des assiettes individuelles et décorez de basilic.

5

Ajoutez les pommes de terre, les haricots verts et l'eau. Portez à ébullition, couvrez et laissez frémir 10 min.

6

Incorporez les petits pois, les courgettes, les tomates et les haricots secs (ou les fèves). Ajoutez les épinards, assaisonnez et laissez frémir 5 min. Servez garni de basilic.

Gaspacho aux herbes et aux poivrons

Le gaspacho est une délicieuse soupe, merveilleusement relevée par un mélange de fines herbes.

INGRÉDIENTS

- *1,2 kg de tomates bien mûres*
- *250 g d'oignons*
- *2 poivrons verts*
- *1 piment vert*
- *1 gros concombre*
- *2 cuil. à soupe de vinaigre de vin rouge*
- *1 cuil. à soupe de vinaigre balsamique*
- *2 cuil. à soupe d'huile d'olive*
- *1 gousse d'ail pelée et hachée*
- *30 cl de jus de tomates*
- *30 cl de purée de tomates*
- *sel et poivre*
- *2 cuil. à soupe d'un mélange d'herbes hachées, plus quelques feuilles en garniture*
- *petits pains, en accompagnement*

Pour 6 personnes

1

Réservez environ 1/4 de tous les légumes frais, excepté le piment vert. Mettez le reste des ingrédients dans un mixer, assaisonnez selon votre goût. Réduisez en purée et gardez au frais.

2

Hachez les légumes réservés et servez-les dans un petit bol pour en parsemer la soupe. Mettez un peu de glace pilée au centre de 6 assiettes creuses, versez le gaspacho et garnissez de fines herbes. Accompagnez de petits pains.

Soupe aux poires et au cresson, garnie de croûtons

Les poires et le bleu de Bresse forment une association originale et délicieuse.

INGRÉDIENTS

* 1 botte de cresson
* 4 poires moyennes coupées en tranches
* 90 cl de bouillon de poulet, fait maison de préférence
* sel et poivre
* 12 cl de crème épaisse
* le jus d'1 citron

Pour les croûtons
* 1 grosse noix de beurre
* 1 cuil. à soupe d'huile d'olive
* 200 g de pain rassis détaillé en dés
* 150 g de bleu de Bresse (ou autre fromage bleu)

Pour 6 personnes

1

Réservez environ 1/3 des feuilles de cresson. Mettez le reste (feuilles et queues) dans une casserole avec les poires et le bouillon, assaisonnez légèrement. Laissez frémir 15 à 20 min environ.

2

Ajoutez le reste des feuilles de cresson (hormis quelques-unes à réserver pour la garniture). Passez aussitôt la soupe au mixer pour obtenir un mélange lisse.

3

Versez dans une jatte, puis incorporez la crème et le jus de citron en mélangeant bien. Assaisonnez. Mettez la soupe à réchauffer dans une casserole, en remuant doucement.

4

Pour les croûtons, faites fondre le beurre et l'huile dans une poêle et mettez les dés de pain à dorer. Égouttez sur du papier absorbant. Tartinez-les de bleu de Bresse et passez-les sous le gril brûlant, jusqu'à ce que le fromage bouillonne. Versez la soupe bien chaude dans des assiettes creuses. Répartissez les croûtons et les feuilles de cresson réservées dans chaque assiette.

Soupe aux haricots verts et au parmesan

Cette soupe d'été colorée vous permettra d'utiliser un reste de haricots verts.

INGRÉDIENTS

* 1 grosse noix de beurre
* 250 g de haricots verts équeutés
* 1 gousse d'ail écrasée
* 1/2 l de bouillon de légumes
* 50 g de parmesan râpé
* 4 cuil. à soupe de crème liquide
* 2 cuil. à soupe de persil frais haché
* sel et poivre noir du moulin

Pour 4 personnes

1

Faites fondre le beurre dans une casserole et mettez à cuire les haricots verts et l'ail 2 à 3 min sur feu moyen, en remuant souvent. Incorporez le bouillon, salez et poivrez. Portez à ébullition. Baissez le feu et laissez mijoter 10 à 15 min, jusqu'à ce que les haricots soient cuits.

2

Réduisez la préparation en purée lisse au mixer ou au moulin à légumes. Transvasez dans une casserole et réchauffez à feu doux. Incorporez le parmesan et la crème liquide. Saupoudrez de persil et servez.

Soupe aux lentilles et aux légumes

Les lentilles brunes, qui gardent bien leur forme après cuisson, donnent sa texture à cette chaleureuse soupe paysanne.

INGRÉDIENTS

* 180 g de lentilles brunes
* 1 l de bouillon de poulet
* 25 cl d'eau
* 4 cuil. à soupe de vin rouge sec
* 700 g de tomates pelées, épépinées et coupées en morceaux, ou 400 g de tomates concassées en boîte
* 1 carotte émincée
* 1 oignon haché
* 1 branche de céleri émincée
* 1 gousse d'ail écrasée
* 2 pincées de coriandre moulue
* 2 cuil. à café de basilic frais ciselé ou 1/2 cuil. à café de basilic en poudre
* 1 feuille de laurier
* 6 cuil. à soupe de parmesan frais râpé

Pour 6 personnes

1

Rincez les lentilles sous l'eau froide. Jetez les lentilles décolorées et les cailloux éventuels.

2

Mettez les lentilles dans une grande casserole. Ajoutez le reste des ingrédients sauf le parmesan. Portez à ébullition.

3

Baissez le feu, couvrez et laissez frémir 20 à 25 min, en remuant de temps à autre. Quand les lentilles sont cuites, jetez la feuille de laurier et versez la soupe dans 6 assiettes creuses chaudes. Saupoudrez de parmesan.

CONSEIL
Pour une soupe plus substantielle, ajoutez 150 g de jambon coupé menu 10 min avant la fin de la cuisson.

Bortsch

Cette soupe rustique fut pendant des siècles le plat de base du paysan russe.
De nombreuses variantes existent et on en trouve rarement deux recettes semblables.

INGRÉDIENTS

* 400 g de betteraves crues
* 1 cuil. à soupe d'huile de tournesol
* 150 g de lard maigre découenné
  et détaillé en lardons
* 1 gros oignon coupé en morceaux
* 1 grosse carotte coupée en bâtonnets
* 3 branches de céleri finement émincées
* 1,5 l de bouillon de poulet
* 250 g de tomates pelées, épépinées
  et coupées en tranches
* 2 cuil. à soupe de jus de citron
  ou de vinaigre de vin
* 2 cuil. à soupe d'aneth frais haché
* 150 g de chou blanc finement émincé
* 15 cl de crème fraîche
  légèrement citronnée
* sel et poivre noir du moulin

Pour 6 personnes

1

Épluchez les betteraves, coupez-les en tranches, puis en très fines lanières. Faites chauffer l'huile dans une grande casserole à fond épais et mettez à dorer le lard 3 à 4 min sur feu doux.

2

Ajoutez l'oignon, faites sauter 2 à 3 min, puis incorporez la carotte, le céleri et la betterave. Laissez cuire 4 à 5 min en remuant fréquemment, jusqu'à ce que l'huile soit absorbée.

3

Ajoutez le bouillon, les tomates, le jus de citron ou le vinaigre de vin et la moitié de l'aneth. Assaisonnez, portez à ébullition, baissez le feu et laissez frémir 30 à 40 min, afin que les légumes soient bien cuits.

4

Incorporez le chou et laissez frémir 5 min, jusqu'à ce qu'il soit cuit. Vérifiez l'assaisonnement. Servez avec la crème citronnée, décorée de l'aneth réservée.

Soupe à l'oignon paysanne

Cette soupe à l'oignon traditionnelle nécessite une longue cuisson, soigneusement surveillée.

INGRÉDIENTS

* 2 cuil. à soupe d'huile d'olive
ou de tournesol ou d'un mélange des deux
* 1 grosse noix de beurre
* 4 gros oignons hachés
* 1 l de bouillon de bœuf
* 4 tranches de pain
* 50 g de gruyère râpé
* sel et poivre noir du moulin

Pour 4 personnes

1

Faites chauffer l'huile et le beurre dans une grande casserole pour y dorer les oignons sur feu vif, 3 à 4 min. Baissez le feu et laissez mijoter 45 à 60 min.

2

Quand les oignons sont couleur acajou, ajoutez le bouillon de bœuf et assaisonnez légèrement. Laissez frémir 30 min, à demi-couvert. Goûtez et rectifiez l'assaisonnement.

3

Préchauffez le gril et faites griller le pain. Versez la soupe dans 4 assiettes creuses pouvant aller au four. Ajoutez 1 tranche de pain dans chaque assiette. Saupoudrez de gruyère et passez quelques minutes sous le gril, pour dorer le fromage.

Soupe d'été à la tomate

La réussite de cette soupe dépend de la qualité des tomates
qui doivent être bien mûres et très parfumées.

INGRÉDIENTS

* 1 cuil. à soupe d'huile d'olive
* 1 gros oignon haché
* 1 carotte coupée en dés
* 1 kg de tomates mûres, épépinées
et coupées en quartiers
* 2 gousses d'ail hachées
* 5 brins de thym frais
* 4 à 5 brins de marjolaine,
plus quelques feuilles en garniture
* 1 feuille de laurier
* 3 cuil. à soupe de crème fraîche citronnée
ou de yaourt,
plus un peu en garniture
* sel et poivre noir du moulin

Pour 4 personnes

1

Chauffez l'huile d'olive dans une grande casserole. Faites cuire l'oignon et la carotte à feu moyen, 3 à 4 min, en remuant de temps à autre, pour les attendrir.

2

Ajoutez les tomates, l'ail et les herbes. Couvrez et laissez frémir 30 min, puis passez la soupe au moulin à légumes. Incorporez la crème citronnée ou le yaourt et assaisonnez. Réchauffez, servez la soupe agrémentée de crème ou de yaourt et de marjolaine.

Soupe au potiron

Quand les premières gelées de l'automne arrivent, on voit apparaître dans les jardins
et sur les marchés les gros potirons orange vif qui donnent cette délicieuse soupe.

INGRÉDIENTS

* 1 grosse noix de beurre
* 1 gros oignon haché
* 2 échalotes hachées
* 2 pommes de terre épluchées
et coupées en dés
* 1 kg de pulpe de potiron
coupée en gros dés
* 2 l de bouillon de poulet ou de légumes
* 1/2 cuil. à café de cumin en poudre
* 1 pincée de muscade râpée
* sel et poivre noir du moulin
* persil ou ciboulette frais, en garniture

Pour 6 à 8 personnes

1

Faites fondre le beurre dans une grande casserole, mettez à cuire l'oignon et les échalotes 4 à 5 min, pour les attendrir. Ajoutez les pommes de terre, le potiron, le bouillon et les épices, un peu de sel et de poivre. Couvrez et laissez frémir 1 h environ, en remuant de temps à autre.

2

À l'aide d'une écumoire, transférez les légumes cuits dans un mixer. Réduisez en purée, en ajoutant un peu de liquide de cuisson si nécessaire. Mélangez la purée au liquide de cuisson resté dans la casserole. Vérifiez l'assaisonnement et réchauffez. Servez garni des fines herbes.

Soupe à l'orge perlée

Le bouillon qui mijote sur un coin de la cuisinière à charbon est un trait commun à de nombreuses fermes. En lui ajoutant quelques ingrédients de base, vous obtiendrez une excellente soupe.

INGRÉDIENTS

* 1 kg d'os sur lesquels reste un peu de viande (agneau, bœuf ou veau)
* 1 l d'eau
* 2 cuil. à soupe d'huile
* 3 carottes détaillées en petits morceaux
* 4 branches de céleri finement émincées
* 1 oignon finement émincé
* 2 cuil. à soupe d'orge perlée
* sel et poivre noir du moulin

Pour 4 personnes

CONSEIL

Les soupes réalisées avec du bouillon maison sont incomparables. Vous pouvez le préparer à l'avance et le garder au congélateur. Un bouillon cube dilué dans de l'eau peut le remplacer, mais la saveur ne sera pas la même.

1

Préchauffez le four à 200 °C (th. 7). Pour préparer le bouillon de viande, faites dorer les os d'agneau, de bœuf ou de veau dans un plat à rôtir, 30 min au four. Transférez les os dans un faitout, couvrez d'eau et portez à ébullition.

2

Écumez la mousse en surface, puis couvrez le faitout et laissez mijoter le bouillon pendant au moins 2 h. Chauffez l'huile dans une casserole et faites sauter 1 min les carottes, le céleri et l'oignon. Passez le bouillon dans la casserole.

3

Ajoutez l'orge perlée et continuez la cuisson pendant 1 h environ, jusqu'à ce que l'orge soit tendre. Salez et poivrez, versez la soupe dans des assiettes creuses et servez chaud.

Soupe aux lentilles et au lard fumé

Servez cette soupe chaleureuse avec des croûtons bien croustillants.

INGRÉDIENTS

* *500 g de lard fumé en tranches épaisses,
détaillées en dés*
* *1 oignon grossièrement haché*
* *1 petit navet coupé en morceaux*
* *1 branche de céleri coupée en morceaux*
* *1 carotte émincée*
* *1 pomme de terre épluchée
et coupée en gros morceaux*
* *100 g de lentilles*
* *1 bouquet garni*
* *sel et poivre noir du moulin*
* *eau*

Pour 4 personnes

1

Faites cuire le lard quelques minutes dans une grande casserole, afin de le dégraisser.

2

Ajoutez tous les légumes et laissez cuire 4 min.

3

Incorporez les lentilles, le bouquet garni, du sel et du poivre et suffisamment d'eau pour tout recouvrir. Portez à ébullition et laissez frémir 1 h, jusqu'à ce que les lentilles soient bien cuites.

Feuilles de vigne farcies, sauce au yaourt aillée

Voici un hors-d'œuvre parfait pour un déjeuner tranquille au jardin.

INGRÉDIENTS

* 1 sachet de 225 g de feuilles de vigne
* 1 oignon finement haché
* la moitié d'1 botte de ciboules, finement hachées
* 4 cuil. à soupe de persil frais haché
* 10 grands brins de menthe fraîche hachés
* le zeste finement râpé d'1 citron
* 1/2 cuil. à café de piment séché écrasé
* 1 cuil. et 1/2 à café de graines de fenouil écrasées
* 180 g de riz à grains longs
* 12 cl d'huile d'olive
* 30 cl d'eau bouillante
* 15 cl de yaourt nature épais
* 2 gousses d'ail écrasées
* sel
* quartiers de citron et feuilles de menthe, en garniture (facultatif)

Pour 6 personnes

1

Rincez bien les feuilles de vigne, puis faites-les tremper 10 min dans de l'eau très chaude. Pendant ce temps, mélangez l'oignon, les ciboules, les herbes, le zeste de citron, le piment, les graines de fenouil et le riz avec 1 cuillerée et 1/2 à soupe d'huile d'olive. Salez.

2

Égouttez les feuilles de vigne et posez-en une sur le plan de travail, nervures vers vous. Coupez la tige. Mettez dessus 1 grosse cuillerée à café de farce à base de riz, repliez le bas de la feuille, puis les côtés. Procédez de même pour les autres feuilles.

3

S'il reste des feuilles de vigne, tapissez-en le fond d'une casserole épaisse. Posez les feuilles farcies dans la casserole, en une seule couche. Arrosez avec le reste d'huile et ajoutez l'eau bouillante.

4

Placez une petite assiette sur les feuilles pour éviter qu'elles flottent. Couvrez et laissez cuire 45 min à feu très doux. Pendant ce temps, mélangez le yaourt et l'ail dans une coupelle. Disposez les feuilles de vigne farcies sur un plat de service, décorez de quartiers de citron et de feuilles de menthe. Servez avec le yaourt aillé.

Champignons farcis

Champignons sauvages ou champignons de Paris, ils sont délicieux farcis et cuits au four.

INGRÉDIENTS

* 1 oignon
* 75 g de beurre
* 8 gros champignons sauvages ou de Paris
* 4 cuil. à soupe de champignons séchés, trempés 20 min dans de l'eau chaude
* 1 gousse d'ail écrasée
* 80 g de chapelure fraîche
* 1 œuf
* 5 cuil. à soupe de persil frais haché
* 1 cuil. à soupe de thym frais effeuillé
* 125 g de prosciutto en lamelles
* sel et poivre noir du moulin
* persil frais, pour décorer

Pour 4 personnes

1

Préchauffez le four à 190 °C (th. 6). Faites cuire l'oignon à feu doux dans la moitié du beurre. Séparez les pieds des chapeaux des champignons frais ; réservez les chapeaux. Égouttez les champignons séchés et hachez-les finement avec les pieds des champignons frais. Ajoutez ce hachis, ainsi que l'ail, à l'oignon et laissez cuire encore 2 à 3 min.

2

Versez le mélange dans une jatte, ajoutez la chapelure, l'œuf, les herbes, sel et poivre. Nappez les chapeaux réservés du reste de beurre fondu. Posez-les dans un plat à four et garnissez-les de farce. Faites cuire 20 à 30 min, afin qu'ils soient bien dorés. Ajoutez 1 lamelle de prosciutto sur chaque champignon, décorez de persil et servez.

Salade de champignons au jambon de Parme

Des lanières de jambon et de crêpes ajoutées à des champignons sauvages et des feuilles de salade sont un régal de couleurs et de saveurs.

INGRÉDIENTS

* 40 g de beurre plus un peu pour la poêle
* 500 g d'un mélange de champignons sauvages et cultivés, émincés
* 4 cuil. à soupe de xérès
* le jus d'1/2 citron
* salade variée
* 2 cuil. à soupe d'huile de noix
* 200 g de jambon de Parme coupé en lanières
* sel et poivre noir du moulin

Pour les lanières de crêpe
* 3 cuil. à soupe rases de farine
* 5 cuil. à soupe de lait
* 1 œuf
* 4 cuil. à soupe de parmesan râpé
* 4 cuil. à soupe de fines herbes fraîches hachées
* sel et poivre noir du moulin
* huile pour la poêle

Pour 4 personnes

1

Pour les crêpes, mélangez la farine et le lait dans un bol. Ajoutez l'œuf, le parmesan, les herbes, sel et poivre, mélangez. Recouvrez de pâte le fond d'une poêle graissée très chaude. Lorsqu'elle est prise, retournez la crêpe. Laissez cuire quelques secondes, puis mettez à refroidir. Roulez la crêpe et coupez-la en lanières. Procédez de même avec la pâte restante.

2

Faites cuire les champignons dans le beurre, 6 à 8 min. Ajoutez le xérès et le jus de citron, sel et poivre.

3

Assaisonnez la salade d'huile de noix, répartissez-la sur 4 assiettes. Garnissez de lanières de jambon, de crêpes et de champignons.

Pâté de champignons

La cueillette des champignons à l'aube est l'un des charmes de la campagne ;
elle donnera un pâté délicieusement parfumé.

INGRÉDIENTS

* 3 cuil. à soupe d'huile de tournesol
* 1 oignon haché
* 1/2 branche de céleri hachée
* 350 g de champignons émincés
* 150 g de lentilles brunes
* 50 cl d'eau ou de bouillon de légumes
* 1 brin de thym frais
* 50 g de beurre de cacahuètes

* 1 gousse d'ail écrasée
* 1 épaisse tranche de pain blanc, sans croûte
* 5 cuil. à soupe de lait
* 1 cuil. à soupe de jus de citron
* 4 jaunes d'œufs
* sel de céleri et poivre noir du moulin

Pour 6 personnes

1

Préchauffez le four à 180 °C (th. 6). Faites dorer l'oignon et le céleri dans l'huile. Ajoutez les champignons et laissez cuire 3 à 4 min. Réservez 1 cuillerée de champignons.

2

Incorporez les lentilles, l'eau ou le bouillon et le thym. Portez à ébullition, puis baissez le feu et laissez mijoter 20 min, jusqu'à ce que les lentilles soient cuites.

3

Mixez ensemble le beurre de cacahuètes, l'ail, le pain et le lait en une pâte lisse.

4

Ajoutez le jus de citron et les jaunes d'œufs, mixez. Versez le mélange de lentilles, mixez de nouveau, puis assaisonnez de sel de céleri et de poivre. Incorporez enfin les champignons réservés.

5

Versez la préparation dans une terrine de 1,2 l et couvrez de papier d'aluminium. Posez la terrine dans un plat à four dans lequel vous versez de l'eau bouillante jusqu'à mi-hauteur. Faites cuire 50 min. Laissez refroidir le pâté avant de le servir.

CONSEIL
Si vous ne disposez que de champignons cultivés, ajoutez 10 g de champignons sauvages séchés pour rehausser le parfum. Faites-les tremper 20 min dans de l'eau chaude, égouttez et ajoutez aux champignons frais.

Pâté rustique aux poireaux

Ce pâté rustique est typique de la cuisine de terroir. Cuit lentement pour bien mêler les parfums, puis mis sous presse, il est délicieux en entrée ou comme encas léger.

INGRÉDIENTS

* 1 noix de beurre
* 500 g de poireaux (tout le blanc et une partie du vert) émincés
* 2 à 3 grosses gousses d'ail hachées
* 1 kg de porc maigre (jambon ou épaule) dégraissé et coupé en dés
* 150 g de lard fumé découenné, coupé en tranches minces
* 1 cuil. et 1/2 à soupe de thym frais effeuillé
* 3 feuilles de sauge fraîche hachées
* 2 pincées de quatre-épices
* 2 pincées de cumin en poudre
* 1 pincée de muscade fraîchement râpée
* 1/2 cuil. à café de sel
* 1 cuil. à café de poivre noir du moulin
* 1 feuille de laurier, pour décorer

Pour 8 à 10 personnes

1

Faites fondre le beurre dans une grande poêle à fond épais, ajoutez les poireaux, couvrez et laissez-les rendre leur eau à feu doux pendant 10 min, en remuant de temps à autre. Ajoutez l'ail et cuisez encore 10 min, jusqu'à ce que les poireaux soient fondants. Laissez refroidir.

2

Hachez grossièrement le porc au mixer, en plusieurs fois (Vous pouvez aussi utiliser un hachoir à main.) Mettez la viande hachée dans une grande jatte, en retirant les nerfs et tendons éventuels. Réservez 2 tranches de lard pour décorer. Hachez le reste du lard et mélangez-le au porc.

3

Préchauffez le four à 180 °C (th. 6). Tapissez le fond et les côtés d'une terrine de 1,5 l avec du papier sulfurisé. Ajoutez le mélange de poireaux, les herbes et les épices au porc et au lard, salez et poivrez.

4

Versez la préparation dans la terrine en la répartissant bien partout et en la tassant. Égalisez la surface. Posez la feuille de laurier et les tranches de lard fumé sur le dessus, couvrez hermétiquement avec du papier d'aluminium.

5

Mettez la terrine dans un plat à four contenant de l'eau bouillante jusqu'à mi-hauteur. Faites cuire 1 h 15. Videz l'eau, remettez la terrine dans le plat, couvrez la surface de papier sulfurisé. Posez 2 à 3 grosses boîtes de conserve sur le dessus et laissez refroidir sous cette presse. Gardez 1 nuit au réfrigérateur avant de servir.

Méli-mélo de poivrons grillés

*Le poivron rouge grillé prend un délicieux goût fumé qui se marie très bien
à ceux des tomates séchées au soleil et des cœurs d'artichauts.*

INGRÉDIENTS

* 50 g de tomates séchées au soleil,
à l'huile
* 3 poivrons rouges
* 2 poivrons jaunes ou orange
* 2 poivrons verts
* 2 cuil. à soupe de vinaigre balsamique
* 5 cuil. à soupe d'huile d'olive,
plus un peu pour la tôle

* quelques gouttes de Tabasco
* 4 cœurs d'artichauts en boîte,
égouttés et émincés
* 1 gousse d'ail finement émincée
* sel et poivre noir du moulin
* feuilles de basilic frais, en garniture

Pour 6 personnes

1

Préchauffez le four à 200 °C (th. 7). Coupez les tomates séchées au soleil en lamelles. Réservez. Mettez les poivrons entiers sur une tôle huilée et faites-les cuire au four 45 min, jusqu'à ce qu'ils commencent à brûler. Couvrez avec un torchon et laissez refroidir 5 min.

2

Mélangez le vinaigre et le Tabasco dans un bol. Incorporez l'huile en fouettant, salez et poivrez légèrement.

3

Pelez et émincez les poivrons. Mélangez avec les cœurs d'artichauts, les tomates et l'ail dans un saladier. Arrosez de vinaigrette et parsemez de basilic.

Aubergines miniatures aux raisins secs et aux pignons

Préparez la veille cette entrée toute simple, pour permettre aux parfums aigres-doux de se développer.

INGRÉDIENTS

* 25 cl d'huile d'olive vierge
* le jus d'1 citron
* 2 cuil. à soupe de vinaigre balsamique
* 3 clous de girofle
* 25 g de pignons
* 3 cuil. à soupe de raisins secs
* 1 cuil. à soupe de sucre en poudre
* 1 feuille de laurier
* 1 grosse pincée de piment séché en poudre
* 12 aubergines miniatures,
  coupées en deux dans la longueur
* sel et poivre noir du moulin

Pour 4 personnes

CONSEIL

Si vous ne trouvez pas d'aubergines miniatures, remplacez-les par des tranches d'aubergine ou des poivrons grillés.

1

Mettez 18 cl d'huile d'olive dans un bol. Ajoutez le jus de citron, le vinaigre, les clous de girofle, les pignons, les raisins, le sucre et le laurier. Incorporez le piment, salez et poivrez. Mélangez bien cette marinade. Préchauffez le gril.

2

Nappez les aubergines de l'huile restante et faites-les griller 10 min. Retournez à mi-cuisson. Placez les aubergines chaudes dans un saladier, arrosez-les de marinade. Laissez refroidir, en les retournant une ou deux fois Servez froid.

Boulettes de pommes de terre au fromage

*Ces délicieuses boulettes de pommes de terre, servies avec une simple
salade de tomates, sont une entrée originale et peu coûteuse.*

INGRÉDIENTS

* 500 g de pommes de terre
* 125 g de feta ou de roquefort
* 4 ciboules finement hachées
* 2 cuil. à soupe d'aneth frais haché
* 1 œuf battu
* 1 cuil. à soupe de jus de citron
* farine pour fariner les boulettes
* 3 cuil. à soupe d'huile d'olive
* sel et poivre noir du moulin

Pour 4 personnes

CONSEIL
Ajoutez peu de sel au mélange de pommes
de terre, le fromage étant déjà salé.

1

Faites cuire les pommes de terre en robe
des champs dans de l'eau légèrement salée.
Égouttez, épluchez-les et écrasez-les pendant
qu'elles sont encore chaudes. Émiettez la feta
ou le roquefort dans la purée, puis ajoutez les
ciboules, l'aneth, l'œuf et le jus de citron.
Salez et poivrez. Mélangez bien.

2

Couvrez la préparation et mettez-la au frais
pour la raffermir. Formez-en des boulettes
de la taille d'une noix, aplatissez-les légèrement et farinez. Chauffez l'huile dans une
poêle et faites dorer les boulettes de tous les
côtés. Égouttez sur du papier absorbant et
servez aussitôt.

Fonduta

*Le fontina est un fromage italien moyennement gras à la riche saveur salée,
se rapprochant du gruyère qui peut le remplacer. Cette délicieuse entrée chaude
est à faire suivre d'un plat principal léger. Servez avec du pain chaud croustillant.*

INGRÉDIENTS

* *250 g de fontina ou de gruyère,
  coupé en dés*
* *25 cl de lait*
* *1 grosse noix de beurre*
* *2 œufs légèrement battus*
* *poivre noir du moulin*

Pour 4 personnes

CONSEIL
Ne chauffez pas trop le mélange pour ne pas
coaguler les œufs. Utilisez un feu très doux
afin d'obtenir une fonduta lisse et veloutée.

1

Mettez le fromage et le lait dans un saladier
résistant à la chaleur et laissez macérer 2 à
3 h. Posez le tout sur une casserole d'eau
frémissante.

2

Ajoutez le beurre et les œufs, remuez lentement jusqu'à ce que le fromage soit fondu
et la fonduta lisse. Retirez du feu, poivrez et
servez dans un plat de service chaud.

Légumes

Les fermiers connaissent bien leur potager. Ils savent
attendre la bonne saison pour cueillir ou arracher
les légumes nouveaux si tendres et si savoureux, qui
donneront de succulents plats complets, de merveilleux
accompagnements, des salades variées ou un repas
entièrement végétarien. Vous trouverez dans ce chapitre
de nombreuses et délicieuses recettes inspirées de la cuisine
rurale traditionnelle. L'essentiel de leur réussite étant
dû à la fraîcheur des légumes, proscrivez les poireaux
jaunis ou les petits pois flétris.

Oignons farcis au persil

Bien que ces oignons farcis soient à l'origine une recette végétarienne,
ils accompagnent merveilleusement les viandes et peuvent aussi être servis
en entrée, avec du pain croustillant et une salade.

INGRÉDIENTS

* 4 gros oignons
* 4 cuil. à soupe de riz cuit
* 4 cuil. à soupe de persil frais haché
  plus un peu pour décorer
* 4 cuil. à soupe de cheddar
  ou de gruyère, finement râpé
* sel et poivre
* 2 cuil. à soupe d'huile d'olive
* 1 cuil. à soupe de vin blanc

Pour 4 personnes

1

Coupez une tranche sur le dessus de chaque oignon et creusez l'intérieur à l'aide d'une cuillère, en laissant une épaisse « coquille ».

2

Mélangez tous les autres ingrédients, en mouillant avec suffisamment de vin pour que la farce se tienne. Préchauffez le four à 180 °C (th. 6).

3

Remplissez les oignons de farce et faites cuire au four 5 min. Servez décoré de persil.

Tomates farcies au riz sauvage, au maïs et à la coriandre

Ces tomates peuvent constituer un plat léger ou bien accompagner de la viande ou du poisson.

INGRÉDIENTS

* 8 tomates moyennes
* 50 g de maïs en grains
* 2 cuil. à soupe de vin blanc
* 50 g de riz sauvage cuit
* 1 gousse d'ail
* 50 g de cheddar ou de gruyère, râpé
* 1 cuil. à soupe de coriandre fraîche hachée
* sel et poivre
* 1 cuil. à soupe d'huile d'olive

Pour 4 personnes

1

Coupez un chapeau sur le dessus de chaque tomate et ôtez les pépins à l'aide d'une cuillère. Retirez la chair et hachez-la finement avec les chapeaux.

2

Préchauffez le four à 180 °C (th. 6). Mettez la chair de tomate dans une cocotte minute. Ajoutez le maïs et le vin blanc. Couvrez hermétiquement et laissez frémir jusqu'à ce que la tomate soit cuite. Retirez le liquide en excès.

3

Incorporez le reste des ingrédients sauf l'huile d'olive, salez et poivrez. Garnissez les tomates de farce et arrosez-les d'huile d'olive. Disposez les tomates dans un plat à four et enfournez 15 à 20 min, à 180 °C (th. 6), afin qu'elles soient bien cuites.

Salade du jardin

Vous pouvez utiliser toutes les fleurs comestibles de votre jardin pour cette jolie salade.

INGRÉDIENTS

* 1 laitue romaine
* 200 g de roquette
* 1 petite frisée
* cerfeuil et estragon frais
* 1 cuil. à soupe de ciboulette fraîche ciselée
* 1 poignée d'un mélange de fleurs comestibles, telles que capucines ou soucis, pour décorer

Pour la vinaigrette
* 3 cuil. à soupe d'huile d'olive
* 1 cuil. à soupe de vinaigre de vin blanc
* 1/2 cuil. à café de moutarde
* 1 gousse d'ail écrasée
* 1 pincée de sucre

Pour 4 personnes

1

Mêlez les feuilles de romaine, de roquette et de frisée avec les herbes.

2

Mélangez les ingrédients de la vinaigrette au fouet dans un saladier. Ajoutez la salade, tournez, décorez de fleurs et servez aussitôt.

Gratin de pommes de terre fondantes

Afin de réduire le temps de cuisson au four, faites précuire les pommes de terre dans de l'eau bouillante.

INGRÉDIENTS

* 1,5 kg de grosses pommes de terre
  épluchées et émincées
* 2 gros oignons émincés
* 75 g de beurre
* 30 cl de crème fraîche
* sel et poivre noir du moulin

Pour 6 personnes

1

2

Préchauffez le four à 200 °C (th. 7). Cuisez les pommes de terre 2 min à l'eau bouillante. Égouttez-les. Mélangez-les avec les oignons, le beurre et la crème fraîche dans une grande casserole, puis laissez cuire 15 min.

Versez la préparation dans un plat à four, assaisonnez et mettez à cuire 1 h au four, jusqu'à ce que les pommes de terre soient fondantes.

Salade de pommes de terre nouvelles

Les pommes de terre nouvelles sont délicieuses. Ne les épluchez pas, contentez-vous de les laver soigneusement. Pour que les parfums s'exhalent, ajoutez la mayonnaise et les autres ingrédients aux pommes de terre encore chaudes.

INGRÉDIENTS

* 1 kg de petites pommes de terre nouvelles
* 2 pommes vertes, sans le cœur, coupées en petits morceaux
* 4 ciboules coupées en morceaux
* 3 branches de céleri coupées en petits morceaux
* 15 cl de mayonnaise
* sel et poivre noir du moulin

Pour 6 personnes

1

Faites cuire les pommes de terre à l'eau bouillante salée pendant 20 min, elles doivent être très tendres.

2

Égouttez-les et ajoutez-leur aussitôt le reste des ingrédients. Mélangez bien. Laissez refroidir et servez froid.

Salade de haricots verts aux tomates

Pour réussir cette salade, assaisonnez les haricots quand ils sont encore chauds.

INGRÉDIENTS

* 200 g de tomates cerise coupées en deux
* 1 cuil. à café de sucre
* 500 g de haricots verts épluchés
* 200 g de feta en dés
* sel et poivre noir du moulin

Pour la vinaigrette
* 6 cuil. à soupe d'huile d'olive
* 3 cuil. à soupe de vinaigre de vin blanc
* 1/4 cuil. à café de moutarde forte
* 2 gousses d'ail écrasées
* sel et poivre noir du moulin

Pour 6 personnes

1

Préchauffez le four à 230 °C (th. 8). Posez les tomates cerise sur une plaque de cuisson et saupoudrez-les de sucre, de sel et de poivre. Faites cuire 10 min au four, laissez refroidir. Cuisez les haricots verts 10 min à l'eau bouillante salée.

2

Mélangez au fouet les ingrédients de la vinaigrette. Égouttez les haricots verts et arrosez-les aussitôt de vinaigrette. Mélangez. Quand ils ont refroidi, ajoutez les tomates et la feta. Servez frais.

Pommes de terre rôties au romarin

*N'étant pas épluchées, ces pommes de terre rôties sont très parfumées
et ont besoin de peu de graisse pour cuire.*

INGRÉDIENTS

* 1 kg de pommes de terre rouges
* 2 cuil. à soupe d'huile de noix
   ou de tournesol
* 2 cuil. à soupe de feuilles de romarin
   frais
* sel
* paprika

Pour 4 personnes

CONSEIL

Ce plat est également délicieux
avec de toutes petites pommes de terre
nouvelles, surtout si vous leur
ajoutez de l'oignon rouge.

1

Préchauffez le four à 240 °C (th. 9). Frottez
les pommes de terre sous l'eau. Si elles sont
grosses, coupez-les en deux. Mettez-les dans
une casserole d'eau froide, portez à ébullition
puis laissez cuire. Égouttez.

2

Remettez les pommes de terre dans la casserole. Arrosez-les d'huile en enrobant bien tous
les morceaux.

3

Versez les pommes de terre dans un plat à four.
Saupoudrez de romarin, de sel et de paprika.
Faites cuire 30 à 45 min. Servez chaud.

Courgettes à la sauce tomate

*Courgettes et tomates se marient naturellement. Prenez de préférence des tomates fraîches,
que vous cuisez et réduisez en purée, plutôt que de la purée de tomates en boîte.*

INGRÉDIENTS

* 1 cuil. à soupe d'huile d'olive
* 3 grosses courgettes finement émincées
* 1/2 petit oignon rouge haché
* 30 cl de purée de tomates
* 2 cuil. à soupe de thym frais effeuillé
* sel aillé et poivre noir du moulin
* brins de thym frais, pour décorer

Pour 4 personnes

1

Préchauffez le four à 190 °C (th. 6). Badigeonnez un plat à four d'huile d'olive.
Disposez la moitié des courgettes et de l'oignon dans le plat.

2

Versez la moitié de la purée de tomates sur
les légumes. Saupoudrez d'un peu de thym,
assaisonnez avec le sel aillé et le poivre. Répétez l'opération avec le reste des ingrédients.
Couvrez le plat et laissez cuire 40 à 45 min.
Décorez de brins de thym et servez chaud.

Pommes de terre sautées aux épices

Donnez du piquant aux pommes de terre sautées en les arrosant avec du vinaigre épicé.
Des lanières de poivron ajoutent une touche de couleur.

INGRÉDIENTS

* 2 gousses d'ail émincées
* 1/2 cuil. à café de piment écrasé
* 1/2 cuil. à café de cumin en poudre
* 2 cuil. à café de paprika
* 2 cuil. à soupe de vinaigre de vin blanc ou rouge
* 800 g de petites pommes de terre nouvelles
* 5 cuil. à soupe d'huile d'olive
* 1 poivron rouge ou vert, épépiné et émincé
* gros sel de mer (facultatif)

Pour 4 personnes

1

Écrasez au pilon l'ail, le piment et le cumin dans un mortier. Incorporez le paprika et le vinaigre.

2

Faites cuire les pommes de terre en robe des champs 15 min. Lorsqu'elles sont presque cuites, égouttez-les. Épluchez-les si vous les préférez sans peau, coupez-les en morceaux. Faites dorer les pommes de terre à l'huile dans une grande poêle.

3

Ajoutez le mélange d'ail épicé et le poivron émincé, puis laissez cuire encore 2 min, en remuant. Servez chaud ou froid, éventuellement saupoudré de gros sel.

Fanes de navets au parmesan et à l'ail

À la campagne, les ingrédients les plus communs deviennent
un régal culinaire. Ici, des fanes de navet sont relevées d'oignon,
d'ail et de parmesan. Les fanes très tendres sont vite cuites.

INGRÉDIENTS

* 3 cuil. à soupe d'huile d'olive
* 2 gousses d'ail écrasées
* 4 ciboules émincées
* 400 g de fanes de navet ciselées,
  les queues dures retirées
* 4 cuil. à soupe d'eau
* 50 g de parmesan râpé
* sel et poivre noir du moulin
* quelques copeaux de parmesan,
  en garniture

Pour 4 personnes

1

Chauffez l'huile dans une grande casserole et faites dorer 2 min l'ail et la ciboule. Ajoutez les fanes de navet et laissez cuire 2 à 3 min en remuant, pour enrober les fanes d'huile. Versez l'eau.

2

Portez à ébullition, baissez le feu, couvrez, puis laissez frémir en remuant souvent, jusqu'à ce que les fanes soient cuites. Faites réduire à gros bouillons le liquide en excès. Ajoutez le parmesan, salez et poivrez. Servez aussitôt, garni de copeaux de parmesan.

Navets aux épinards et aux tomates

*Les jeunes navets sucrés, les tendres épinards et les tomates mûres
s'associent merveilleusement dans ce simple ragoût de légumes.*

INGRÉDIENTS

* 500 g de tomates bien parfumées
* 4 cuil. à soupe d'huile d'olive
* 2 oignons hachés ou émincés
* 500 g de jeunes navets épluchés
* 1 cuil. à café de paprika
* 4 cuil. à soupe d'eau
* 1/2 cuil. à café de sucre en poudre
* 4 cuil. à soupe de coriandre fraîche hachée
* 500 g de jeunes épinards frais, queues retirées
* sel et poivre noir du moulin

Pour 6 personnes

1

Plongez les tomates 30 s dans de l'eau bouillante, puis passez-les sous l'eau froide. Pelez-les et coupez-les en gros morceaux.

2

Chauffez l'huile dans une grande poêle et mettez les oignons à dorer 5 min. Ajoutez les navets, les tomates, le paprika et l'eau, puis faites cuire jusqu'à ce que les tomates soient fondantes. Couvrez et laissez mijoter afin que les navets soient tendres.

3

Incorporez le sucre, la coriandre et les épinards, un peu de sel et de poivre et laissez cuire encore 2 à 3 min, pour que les épinards soient fondants. Servez chaud ou froid.

Gratin de salsifis aux épinards

Les épinards ajoutent une saveur et une touche colorée à ce plat. Cependant, si vous avez beaucoup de salsifis et la patience de les éplucher, vous pouvez vous passer d'épinards.

INGRÉDIENTS

* le jus de 2 citrons
* 500 g de salsifis
* 500 g de feuilles d'épinards frais
* 15 cl de bouillon de poulet
  ou de légumes
* 30 cl de crème liquide
* sel et poivre noir du moulin

Pour 4 personnes

2

Pendant ce temps, faites fondre les épinards dans une grande casserole 2 à 3 min à feu moyen. Versez le bouillon, la crème liquide et l'assaisonnement dans une petite casserole. Chauffez cette sauce à feu doux, en remuant.

3

Beurrez un plat à four. Égouttez les salsifis et les épinards et disposez-les en couches successives dans le plat. Nappez de sauce et laissez cuire 1 h au four, afin que le dessus soit doré et bouillonnant.

1

Préchauffez le four à 160 °C (th. 5). Mettez 1/4 du jus de citron dans un saladier plein d'eau. Coupez le haut et le bas des salsifis, pelez-les. Mettez-les aussitôt dans l'eau citronnée pour les empêcher de noircir. Portez une casserole d'eau à ébullition. Ajoutez le reste du jus de citron. Coupez les salsifis en tronçons de 5 cm et mettez-les à frémir 10 min, afin qu'ils soient juste cuits.

Carottes glacées au cidre

*Les carottes nouvelles cuites avec très peu de liquide gardent leur parfum délicat,
tandis que le cidre leur ajoute une pointe d'acidité originale.*

* *500 g de carottes nouvelles*
* *1 grosse noix de beurre*
* *1 cuil. à soupe de sucre roux*
* *12 cl de cidre*
* *4 cuil. à soupe de bouillon de légumes*
* *1 cuil. à café de moutarde forte*
* *1 cuil. à soupe de persil frais haché*

Pour 4 personnes

CONSEIL
Si les carottes sont cuites avant réduction
complète du liquide de cuisson, réservez-les
au chaud sur le plat de service et faites
bouillir le liquide pour l'épaissir. Versez
sur les carottes et saupoudrez de persil.

1

Épluchez les carottes et coupez-les en allu-
mettes. Faites-les sauter à la poêle dans le
beurre fondu, 4 à 5 min.

2

Saupoudrez de sucre et faites cuire 1 min en
remuant. Ajoutez le cidre et le bouillon, portez à ébullition, puis incorporez la moutarde.
Couvrez à demi et laissez frémir 10 à 12 min,
les carottes doivent être juste cuites. Retirez
le couvercle et faites épaissir le liquide. Mélangez les carottes avec le persil et versez dans un
plat de service chaud.

Salade de carottes, pommes et oranges

*Ce plat est aussi délicieux que facile à réaliser. L'assaisonnement à l'ail
et aux herbes contraste agréablement avec le goût délicat de la salade.*

* *350 g de carottes nouvelles
  finement râpées*
* *2 pommes à couteau*
* *1 cuil. à soupe de jus de citron*
* *1 grosse orange épluchée
  et détaillée en quartiers*

Pour l'assaisonnement
* *3 cuil. à soupe d'huile d'olive*
* *4 cuil. à soupe d'huile de tournesol*
* *3 cuil. à soupe de jus de citron*
* *1 gousse d'ail écrasée*
* *4 cuil. à soupe de yaourt nature*
* *1 cuil. à soupe d'un mélange
  de fines herbes hachées*
* *sel et poivre noir du moulin*

Pour 4 personnes

1

Mettez les carottes dans un grand saladier.
Coupez les pommes en quartiers, retirez le
cœur. Détaillez-les en tranches fines. Arrosez
les pommes de jus de citron pour les empêcher de noircir et ajoutez-les aux carottes avec
les quartiers d'orange.

2

Préparez l'assaisonnement. Mettez les huiles,
le jus de citron et l'ail dans un bocal à couvercle vissé. Secouez vigoureusement. Ajoutez
le reste des ingrédients et secouez de nouveau.
Au moment de servir, versez l'assaisonnement
sur la salade et remuez.

Choux de Bruxelles aux marrons

*Plat traditionnel de Noël, cette association de choux de Bruxelles moelleux
et de marrons croquants garde sa popularité.*

1

Incisez en croix la base de chaque marron.
Faites bouillir les marrons 6 à 8 min dans de
l'eau bouillante. Épluchez-les encore chauds,
puis mettez-les dans une casserole. Ajoutez
le lait et suffisamment d'eau pour les recouvrir. Laissez frémir 12 à 15 min. Égouttez
et réservez.

2

Retirez les feuilles fanées ou jaunies des choux
de Bruxelles, coupez les pieds. Incisez en
croix la base de chaque chou.

3

Faites fondre le beurre dans une grande poêle
à fond épais et mettez à cuire l'échalote 1 à
2 min. Ajoutez les choux de Bruxelles et le
vin ou l'eau. Couvrez et laissez cuire 6 à 8 min
à feu moyen, en remuant de temps à autre et
en ajoutant un peu d'eau si nécessaire.

4

Ajoutez les marrons blanchis et mélangez
délicatement, puis couvrez et laissez cuire
encore 3 à 5 min. Servez aussitôt.

Poireaux sauce au citron

*Les jeunes poireaux fraîchement cueillis au potager, cuits et enrobés
d'une sauce citronnée crémeuse, sont un véritable régal.*

INGRÉDIENTS

* *700 g de jeunes poireaux pelés,
  fendus et lavés*
* *1 cuil. à soupe de Maïzena*
* *2 cuil. à café de sucre en poudre*
* *2 jaunes d'œufs*
* *le jus d'1 citron et 1/2*
* *sel*

Pour 4 personnes

3

Battez au fouet les jaunes d'œufs avec le jus
de citron et incorporez-les peu à peu dans
la sauce refroidie. Remettez à feu très doux
en remuant constamment, jusqu'à ce que la
sauce soit assez épaisse. Retirez aussitôt du
feu et continuez à fouetter 1 min. Rectifiez
l'assaisonnement. Laissez un peu refroidir.

4

Versez la sauce sur les poireaux. Couvrez et
mettez au frais au moins 2 h avant de servir.

CONSEIL
Ne chauffez pas trop la sauce
après avoir ajouté les jaunes d'œufs,
sous peine de la voir tourner.

1

Rangez les poireaux à plat dans une grande
casserole, couvrez d'eau et salez légèrement.
Portez à ébullition, baissez le feu, couvrez,
puis laissez frémir 4 à 5 min.

2

Égouttez les poireaux et disposez-les dans un
plat de service peu profond. Mélangez 20 cl
du liquide de cuisson avec la Maïzena dans
une casserole. Portez à ébullition en remuant
constamment, puis faites épaissir la sauce.
Ajoutez le sucre. Laissez un peu refroidir.

Petits pois à la laitue et à l'oignon

Écosser les petits pois est un passe-temps traditionnel à la ferme. Les petits pois nouveaux sucrés sont délicieux avec une chiffonnade de laitue.

INGRÉDIENTS

* 1 noix de beurre
* 1 petit oignon haché
* 1 petite laitue pommée coupée en deux puis en lanières
* 500 g de petits pois frais écossés (environ 1,5 kg de petits pois en gousses) ou de petits pois surgelés, décongelés
* 3 cuil. à soupe d'eau
* sel et poivre noir du moulin

Pour 4 à 6 personnes

1

Faites fondre le beurre dans une casserole à fond épais. Ajoutez l'oignon et laissez-le cuire 3 min à feu moyen, afin qu'il soit juste tendre. Ajoutez les lanières de laitue, les petits pois et l'eau. Salez et poivrez légèrement.

2

Couvrez hermétiquement la casserole et laissez cuire à feu doux jusqu'à ce que les petits pois soient tendres, 10 à 20 min pour des légumes frais, 10 min pour les surgelés. Mélangez délicatement et servez aussitôt.

Fèves à la crème

Les fèves écossées sont délicieuses et d'un beau vert brillant.

INGRÉDIENTS

* 500 g de fèves écossées (environ 2 kg de fèves en gousses)
* 6 cuil. à soupe de crème fraîche
* sel et poivre du moulin
* ciboulette ciselée

Pour 4 à 6 personnes

1

Portez à ébullition une grande casserole d'eau salée et ajoutez les fèves. Baissez le feu et laissez cuire environ 8 min, jusqu'à ce que les fèves soient juste tendres. Égouttez, passez sous l'eau froide, égouttez de nouveau.

2

Retirez la peau fine des fèves en les pinçant entre le pouce et l'index.

CONSEIL
Vous pouvez préparer de la même façon les flageolets frais ou les haricots blancs.

3

Mettez les fèves dans une casserole avec la crème fraîche et l'assaisonnement, couvrez et réchauffez doucement. Saupoudrez de ciboulette et servez aussitôt.

Haricots blancs à la sauge

*Parmi les fines herbes, la sauge est un peu négligée. Elle donne pourtant
un parfum incomparable aux haricots blancs.*

INGRÉDIENTS

* 600 g de haricots blancs secs
* 4 cuil. à soupe d'huile d'olive
* 2 gousses d'ail écrasées
* 3 feuilles de sauge fraîche
* 1 poireau finement émincé
* 400 g de tomates concassées en boîte
* sel et poivre noir du moulin

Pour 6 à 8 personnes

1

Triez soigneusement les haricots. Mettez-les
dans un saladier et recouvrez d'eau. Laissez-
les tremper au moins 6 h ou toute une nuit.
Égouttez.

2

Préchauffez le four à 180 °C (th. 6). Chauffez
l'huile dans une petite casserole et faites dorer
3 à 4 min les gousses d'ail et la sauge. Retirez
du feu.

3

Mettez les haricots dans un grand plat à four,
ajoutez le poireau et les tomates. Arrosez avec
l'huile à l'ail et à la sauge. Recouvrez d'eau
sur 2,5 cm. Mélangez bien. Couvrez le plat et
faites cuire au four 1 h 45.

4

Retirez le plat du four, remuez les haricots,
salez et poivrez. Remettez le plat au four et
laissez cuire à découvert encore 15 min, jusqu'à ce que les haricots soient bien cuits.
Retirez du four et laissez reposer 7 à 8 min
avant de servir.

Pâtissons à la grecque

Plat traditionnel, plus souvent réalisé avec des champignons. Les pâtissons miniatures
doivent être bien cuits pour s'imprégner parfaitement des délicieux parfums de la marinade.

INGRÉDIENTS

* 200 g de pâtissons
* 25 cl de vin blanc
* le jus de 2 citrons
* 1 brin de thym frais
* 1 feuille de laurier
* 1 petit bouquet de cerfeuil frais
  grossièrement haché
* 2 pincées de graines de coriandre écrasées
* 2 pincées de grains de poivre noir écrasés
* 5 cuil. à soupe d'huile d'olive
* sel

Pour 4 personnes

1

Faites blanchir les pâtissons 3 min à l'eau
bouillante, puis rafraîchissez-les sous l'eau
froide.

2

Mettez le reste des ingrédients dans une
casserole, ajoutez 15 cl d'eau et laissez frémir
10 min, sous couvercle. Ajoutez les pâtissons
et faites cuire 10 min. Retirez-les à l'écumoire
quand ils sont bien tendres.

3

Faites réduire le liquide de cuisson 10 min à
gros bouillons. Passez et versez sur les pâtissons. Laissez refroidir pour que les légumes
s'imprègnent des parfums. Servez froid.

Aubergines à la tomate et à l'ail

*Les aubergines frites absorbent beaucoup de graisse. Voici une façon plus diététique
de les faire cuire. Le passage au four les rend légèrement croquantes.*

INGRÉDIENTS

* ❋ *2 aubergines (environ 250 g)
  coupées en rondelles*
* ❋ *2 gousses d'ail écrasées*
* ❋ *3 cuil. à soupe de purée de tomates*
* ❋ *6 à 8 cuil. à soupe d'huile d'olive*
* ❋ *1/2 cuil. à café de sucre cristallisé*
* ❋ *sel et poivre noir du moulin*
* ❋ *persil plat haché, pour décorer*

Pour 2 à 4 personnes

1

Étalez les aubergines sur du papier absorbant. Saupoudrez-les de sel et laissez dégorger 30 min. Pendant ce temps, préchauffez le four à 190 °C (th. 6). Dans un bol, mélangez l'ail et la purée de tomates avec 1 cuillerée à soupe d'huile. Ajoutez le sucre, du sel et du poivre.

2

Rincez, égouttez et séchez les aubergines. Versez 4 cuillerées à soupe d'huile dans un plat à four et rangez les aubergines sur une seule couche. Posez un peu du mélange à base de tomate sur chaque rondelle. Arrosez du reste d'huile et mettez à cuire au four 30 min. Disposez sur un plat, décorez avec le persil haché et servez.

Betteraves à la crème citronnée

*Les petites betteraves du potager, simplement bouillies et servies avec de la crème citronnée,
font un délicieux encas ou un parfait légume d'accompagnement.*

INGRÉDIENTS

* ❋ *500 g de petites betteraves crues*
* ❋ *30 cl de crème fraîche bien froide
  additionnée du jus d'1 citron*
* ❋ *sel et poivre noir du moulin*
* ❋ *quelques brins d'aneth frais,
  pour décorer*

Pour 4 personnes

CONSEIL

Pour préparer les betteraves, coupez les feuilles à 3 cm du haut et retirez les radicelles. Lavez soigneusement la betterave avec une brosse. Prenez garde à ne pas entailler la chair, le jus sortirait.

1

Mettez les betteraves dans une casserole et couvrez-les d'eau. Assaisonnez, portez à ébullition et laissez frémir 30 à 40 min. Égouttez les betteraves et épluchez-les pendant qu'elles sont encore chaudes.

2

Garnissez de crème citronnée 4 assiettes. Coupez les betteraves en quartiers. Passez un quartier sur la crème pour lui donner une teinte rose. Répartissez le reste de betterave, assaisonnez et décorez avec de l'aneth.

Artichauts aux haricots verts et à l'aïoli

L'aïoli vigoureusement aillé se marie parfaitement avec les légumes frais.

INGRÉDIENTS

* *250 g de haricots verts*
* *3 petits artichauts*
* *1 cuil. à soupe d'huile d'olive*
* *le zeste d'1 citron*
* *gros sel et poivre*
* *quartiers de citron, en garniture*

Pour l'aïoli

* *6 grosses gousses d'ail*
* *2 cuil. à café de vinaigre de vin blanc*
* *2 cl d'huile d'olive*
* *sel et poivre noir du moulin*

Pour 4 à 6 personnes

CONSEIL

Si vous préférez ne pas utiliser le mixer, écrasez l'ail avec le vinaigre au pilon dans un mortier, puis incorporez peu à peu l'huile en fouettant vigoureusement.

1

Préparez l'aïoli. Écrasez l'ail avec le plat de la lame d'un couteau. Mettez-le dans un mixer et ajoutez le vinaigre. Réduisez en pâte. Le mixer étant toujours en action, versez peu à peu l'huile d'olive pour obtenir un mélange épais et lisse. Salez et poivrez à votre goût.

2

Faites cuire les haricots 2 min dans une grande casserole d'eau bouillante légèrement salée, afin qu'ils restent croquants. Égouttez (sans jeter l'eau) et réservez. Coupez les queues des artichauts à ras de leur base. Mettez-les dans la casserole d'eau bouillante et laissez cuire environ 30 min, les feuilles doivent se détacher facilement. Égouttez bien.

3

À l'aide d'un couteau bien aiguisé, coupez les artichauts en deux dans la longueur et retirez le foin avec une petite cuillère. Disposez les artichauts et les haricots sur les assiettes et arrosez d'huile. Parsemez de zeste de citron et saupoudrez de gros sel et d'un peu de poivre. Versez l'aïoli dans le creux des artichauts et servez tiède, garni de quartiers de citron.

Artichauts braisés

Il existe plusieurs façons de cuisiner les artichauts.
Ils sont ici légèrement braisés avec de l'ail, du persil et du vin.

INGRÉDIENTS

* 1 citron
* 4 gros artichauts ou 6 petits
* 1 grosse noix de beurre
* 4 cuil. à soupe d'huile d'olive
* 2 gousses d'ail hachées
* 4 cuil. à soupe de persil frais haché
* 3 cuil. à soupe d'eau
* 6 cuil. à soupe de lait
* 6 cuil. à soupe de vin blanc
* sel et poivre noir du moulin

Pour 6 personnes

1

Pressez le citron dans un grand saladier d'eau froide. Portez à ébullition un grand faitout rempli d'eau salée. Pendant ce temps, préparez les artichauts.

2

Coupez l'extrémité de la queue des artichauts. Épluchez la queue, en arrachant les petites feuilles de la base, jusqu'aux grandes feuilles. Taillez le haut des feuilles extérieures. Coupez les artichauts en quartiers et retirez le foin de chaque quartier. Posez les artichauts dans l'eau citronnée au fur et à mesure, puis blanchissez-les 4 à 5 min à l'eau bouillante salée.

3

Chauffez le beurre et l'huile d'olive dans une grande casserole et mettez à dorer l'ail et le persil 2 à 3 min. Ajoutez les artichauts, l'eau et le lait, assaisonnez et laissez cuire 10 min, jusqu'à ce que le liquide soit évaporé. Versez le vin, couvrez et laissez cuire complètement les artichauts. Servez chaud ou à température ambiante.

Haricots verts à la sauce tomate

Ces haricots verts cuits avec une riche sauce tomate forment un plat coloré.

INGRÉDIENTS

* 3 cuil. à soupe d'huile d'olive
* 1 oignon, rouge de préférence, finement émincé
* 400 g de tomates olivettes pelées et coupées en dés
* 12 cl d'eau
* 3 à 6 feuilles de basilic déchirées
* 500 g de haricots verts frais équeutés
* sel et poivre noir du moulin

Pour 4 à 6 personnes

1

Faites chauffer l'huile dans une grande poêle. Mettez l'oignon à revenir 5 à 6 min. Ajoutez les tomates et laissez cuire sur feu moyen 6 à 8 min, afin qu'elles soient fondantes. Versez l'eau. Salez et poivrez, incorporez le basilic.

2

Ajoutez les haricots verts en les enrobant de sauce. Couvrez la poêle et laissez mijoter à feu moyen 15 à 20 min, jusqu'à ce que les haricots soient cuits. Remuez de temps en temps et ajoutez un peu d'eau si la sauce se dessèche. Servez chaud ou froid.

Tarte aux poireaux

Cette recette originale n'est pas celle d'une tarte traditionnelle mais plutôt d'une sorte de pâté où légumes et pâte se confondent. Elle accompagne très bien un rôti.

INGRÉDIENTS

* 50 g de beurre
* 400 g de poireaux émincés finement
* 250 g de farine avec levain incorporé
* 125 g de margarine dure râpée
* 15 cl d'eau
* sel et poivre noir du moulin

Pour 4 personnes

1

Préchauffez le four à 200 °C (th. 7). Faites fondre le beurre dans une casserole et mettez à dorer les poireaux jusqu'à ce qu'ils soient cuits. Assaisonnez bien.

2

Mélangez la farine, la margarine et l'eau pour obtenir une pâte souple mais collante. Incorporez-la à la fondue de poireaux. Transférez dans un plat à four beurré et laissez cuire 30 min, afin que le dessus soit doré. Servez la tarte coupée en tranches.

Chou rouge braisé

Vinaigre et sucre donnent à ce plat une saveur aigre-douce. Souvent servi avec du gibier,
le chou rouge accompagne aussi délicieusement du porc, du canard ou de la viande froide.

INGRÉDIENTS

* 2 cuil. à soupe d'huile
* 2 oignons finement émincés
* 2 pommes à couteau pelées, épépinées et finement émincées
* 1 chou rouge (environ 900 g) épluché, les grosses côtes retirées, coupé en deux et finement émincé
* 4 cuil. à soupe de vinaigre de vin rouge
* 1 à 2 cuil. à soupe de sucre cristallisé
* 2 pincées de clous de girofle écrasés
* 1 à 2 cuil. à café de graines de moutarde (boutiques diététiques)
* 50 g de raisins secs
* 12 cl de vin rouge ou d'eau
* 1 à 2 cuil. à soupe de gelée de groseilles
* sel et poivre noir du moulin

Pour 6 à 8 personnes

1

Chauffez l'huile dans une grande casserole en acier inoxydable. Faites dorer les oignons 7 à 10 min. Ajoutez les pommes et laissez cuire en remuant, 3 à 5 min, pour les attendrir.

2

Incorporez le chou, le vinaigre, le sucre, les clous de girofle, les graines de moutarde, les raisins secs, le vin rouge ou l'eau, salez, poivrez et mélangez bien. Portez à ébullition en remuant de temps à autre.

3

Couvrez et laissez cuire 35 à 40 min à feu assez doux, en remuant de temps à autre. Le chou doit être cuit et le liquide de cuisson évaporé. Ajoutez un peu de vin rouge ou d'eau si la préparation se dessèche avant que le chou soit cuit. Au moment de servir, nappez le chou de gelée de groseilles, pour l'adoucir.

Œufs et fromages

Les paniers d'œufs et les plateaux de fromages sont
une invitation à de nouvelles expériences culinaires.
Ces simples ingrédients forment la base d'une large gamme
de plats succulents dont la plupart sont très vite réalisés.
Pour obtenir plus de saveur, utilisez des œufs de poules
élevées en plein air et des fromages fermiers que l'on trouve
aujourd'hui sur les marchés et au rayon frais des
supermarchés. Ce chapitre illustre les multiples usages
des œufs et du fromage, à travers des recettes faciles
à réaliser et néanmoins succulentes.

Petits soufflés aux carottes

Prenez des carottes nouvelles bien tendres pour ce plat léger comme l'air.

INGRÉDIENTS
───────────

* 500 g de carottes
* 2 cuil. à soupe de coriandre fraîche hachée
* 4 œufs, les blancs séparés des jaunes
* sel et poivre noir du moulin

Pour 4 personnes

1
─

Épluchez les carottes.

2
─

Faites-les cuire 20 min à l'eau bouillante salée, jusqu'à ce qu'elles soient tendres. Égouttez et réduisez en purée fine au mixer.

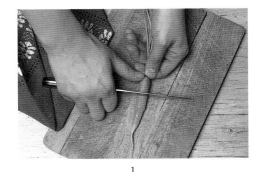

3
─

Préchauffez le four à 200 °C (th. 7). Assaisonnez bien la purée de carottes et incorporez la coriandre hachée.

4
─

Ajoutez les jaunes d'œufs et mélangez.

5
─

Dans un autre saladier, battez les blancs d'œufs en neige ferme.

6
─

Incorporez délicatement les blancs en neige à la purée de carottes et répartissez dans 4 ramequins beurrés. Faites cuire les soufflés 20 min au four. Servez aussitôt.

Quiche méditerranéenne

*Les vigoureuses saveurs des tomates, poivrons et anchois méditerranéens
complètent merveilleusement la pâte fromagée de cette quiche originale.*

INGRÉDIENTS

Pour la pâte
* *250 g de farine*
* *1 pincée de sel*
* *125 g de beurre mou coupé en dés,
plus un peu pour le moule*
* *50 g de gruyère râpé*

Pour la garniture
* *1 boîte de 50 g d'anchois à l'huile,
égouttés*
* *4 cuil. à soupe de lait*
* *2 cuil. à soupe de moutarde forte*
* *3 cuil. à soupe d'huile d'olive*
* *2 gros oignons émincés*
* *1 poivron rouge épépiné
et très finement émincé*
* *3 jaunes d'œufs*
* *40 cl de crème fraîche*
* *1 gousse d'ail écrasée*
* *200 g de cheddar ou d'édam, râpé*
* *2 grosses tomates
coupées en tranches épaisses*
* *sel et poivre noir du moulin*
* *2 cuil. à soupe de basilic frais haché,
pour décorer*

Pour 8 personnes

1

Mettez la farine et le sel dans le bol d'un mixer, ajoutez le beurre et mixez jusqu'à obtenir un mélange ressemblant à du gros sable.

2

Ajoutez le gruyère et mélangez. Versez suffisamment d'eau froide pour obtenir une pâte épaisse. Enveloppez-la dans du papier cellophane et mettez au frais 30 min.

3

Pendant ce temps, commencez à préparer la garniture. Faites tremper les anchois dans le lait 20 min. Égouttez-les.

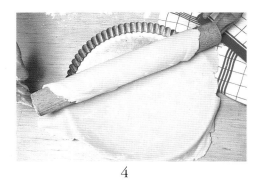

4

Étalez la pâte et tapissez-en un moule à tarte beurré de 24 cm de diamètre. Badigeonnez de moutarde et mettez au frais encore 15 min.

5

Préchauffez le four à 200 °C (th. 7). Faites cuire les oignons et le poivron rouge dans l'huile, à la poêle, afin de les attendrir. Mélangez au fouet les jaunes d'œufs, la crème fraîche, l'ail et le cheddar ou l'édam, assaisonnez. Disposez les tomates en une seule couche sur la pâte. Ajoutez le mélange d'oignons et de poivron et les filets d'anchois. Arrosez avec la préparation aux œufs. Laissez cuire 30 à 35 min au four. Saupoudrez de basilic et servez.

Quiche au fromage et aux lardons

*Les quiches, parfaites pour les repas en plein air, font partie
des plats de base de la cuisine paysanne.*

INGRÉDIENTS

* 350 g de pâte brisée,
décongelée si c'est une pâte surgelée
* beurre pour le moule
* 1 cuil. à soupe de moutarde forte
* 6 tranches très minces de lard
découenné, coupées en lardons
* 3 œufs
* 40 cl de crème liquide
* 1 oignon haché
* 150 g de gruyère coupé en dés
* sel et poivre noir du moulin
* persil frais, pour décorer

Pour 6 à 8 personnes

1

Préchauffez le four à 200 °C (th. 7). Étalez la
pâte et tapissez-en un moule à tarte beurré de
24 cm de diamètre. Piquez le fond avec une
fourchette et laissez cuire 15 min. À l'aide
d'un pinceau, badigeonnez de moutarde le
fond de tarte et laissez cuire encore 5 min.
Baissez la température du four à 180 °C (th. 6).

2

Faites sauter les lardons pour qu'ils soient
dorés et croustillants. Battez les œufs avec la
crème, salez et poivrez. Réservez.

3

Égouttez les lardons. Jetez la plus grande partie de la graisse, ajoutez l'oignon et laissez
cuire à feu doux 15 min.

4

Répartissez sur la pâte la moitié du fromage,
l'oignon, les lardons, puis couvrez du fromage
restant. Versez le mélange d'œufs et faites
cuire 35 à 45 min, jusqu'à ce que le dessus
soit doré. Servez chaud, décoré de persil.

Omelette aux feuilles de bettes

Cette omelette rustique peut également se faire avec des épinards frais,
mais les grandes feuilles de bettes lui donnent plus d'authenticité.

INGRÉDIENTS

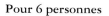

* 700 g de feuilles de bettes, sans les côtes
* 4 cuil. à soupe d'huile d'olive
* 1 gros oignon émincé
* 5 œufs
* sel et poivre noir du moulin
* 1 brin de persil frais, pour décorer

Pour 6 personnes

3

Battez les œufs dans une jatte. Salez, poivrez et incorporez les légumes cuits. Faites chauffer le reste de l'huile dans une grande poêle, versez les œufs et couvrez. Faites cuire l'omelette à feu moyen 5 à 7 min, jusqu'à ce que les œufs soient pris sur les bords et encore moelleux sur le dessus.

4

Pour retourner l'omelette, détachez les bords et faites-la glisser sur une grande assiette. Posez la poêle à l'envers sur l'assiette et retournez l'ensemble, en maintenant bien. Faites cuire encore 2 à 3 min. Glissez l'omelette sur le plat de service et servez chaud ou à température ambiante, décoré d'1 brin de persil.

1

Lavez les feuilles de bettes dans plusieurs eaux et séchez-les au torchon. Faites des piles de 4 à 5 feuilles et découpez-les dans la diagonale en lanières fines. Mettez-les à fondre à la vapeur, puis égouttez dans une passoire, en pressant avec le dos d'une cuillère.

2

Chauffez la moitié de l'huile d'olive dans une grande poêle. Mettez l'oignon à fondre 10 min à feu moyen, en remuant de temps à autre. Ajoutez les bettes et laissez cuire encore 2 à 4 min, jusqu'à ce qu'elles soient tendres.

Omelette aux fines herbes

Les plats les plus simples sont souvent les meilleurs. Des œufs de ferme bien frais,
de la crème fraîche et des fines herbes font un repas vite fait mais délicieux.

INGRÉDIENTS

❋ *2 œufs*
❋ *1 noix de beurre*
❋ *1 cuil. à soupe de crème fraîche*
❋ *1 cuil. à soupe d'un mélange*
de fines herbes hachées (estragon,
ciboulette, persil ou marjolaine)
❋ *sel et poivre noir du moulin*

Pour 1 personne

VARIANTES

Vous pouvez également garnir
l'omelette avec des champignons
émincés et sautés, du jambon coupé en dés
ou du lard croustillant émietté, des épinards
crémeux ou encore de la sauce tomate
épaisse et du fromage râpé.

1

Battez les œufs avec du sel et du poivre dans
un bol. Faites fondre le beurre dans une poêle
et, quand il mousse, versez les œufs. Lorsque
le mélange commence à prendre, soulevez les
bords à l'aide d'une spatule et inclinez la
poêle pour permettre à l'œuf encore liquide
de passer en dessous.

2

Quand l'omelette est prise mais encore moel-
leuse, versez la crème fraîche au centre et
parsemez d'herbes. Tenez la poêle au-dessus
d'un plat chaud. Avec la spatule, soulevez un
côté de l'omelette et repliez-le sur le centre.
Faites-la glisser sur le plat en inclinant la
poêle pour que l'omelette se plie en trois.

Tomates fourrées aux œufs

Facile à réaliser, ce plat convient parfaitement pour un déjeuner rapide.
Il sera meilleur si vous le mangez aussitôt préparé.

INGRÉDIENTS

❋ *20 cl de mayonnaise*
❋ *2 cuil. à soupe de ciboulette ciselée*
❋ *2 cuil. à soupe de basilic frais*
découpé en petits morceaux
❋ *2 cuil. à soupe de persil frais haché*
❋ *4 tomates mûres*
❋ *4 œufs durs écalés et coupés en rondelles*
❋ *sel*
❋ *feuilles de laitue, en accompagnement*

Pour 4 personnes

1

Mélangez la mayonnaise et les herbes dans
un petit bol et réservez. Posez les tomates
sur leur base et incisez-les sans les détacher
complètement (pratiquez autant d'incisions
qu'il y a de rondelles d'œufs).

2

Ouvrez les tomates en éventail et saupoudrez
de sel. Glissez 1 rondelle d'œuf dans chaque
incision. Posez chaque tomate garnie sur une
assiette, agrémentez de feuilles de laitue et
servez avec la mayonnaise aux herbes.

Polenta au fromage, sauce tomate

La polenta est un plat de base en Italie. Cuite, coupée en morceaux,
puis gratinée au four avec une sauce tomate, elle constitue un repas délicieux.

INGRÉDIENTS

* 1 l d'eau
* 1 cuil. à soupe de sel
* 250 g de polenta à cuisson rapide
* 1 cuil. à café de paprika
* 1/2 cuil. à café de muscade râpée
* 2 cuil. à soupe d'huile d'olive
* 1 gros oignon haché
* 2 gousses d'ail écrasées
* 1 kg de tomates pelées
et coupées en morceaux ou 2 boîtes
de 400 g de tomates concassées
* 1 cuil. à soupe de purée de tomates
* 1 cuil. à café de sucre cristallisé
* 80 g de gruyère râpé
* sel et poivre noir du moulin

Pour 4 personnes

1

Préchauffez le four à 200 °C (th. 7). Tapissez une plaque à pâtisserie avec du papier sulfurisé. Portez à ébullition l'eau et le sel dans une cocotte, versez la polenta en pluie et laissez cuire 5 min, en remuant constamment, jusqu'à obtention d'un mélange épais. Ajoutez le paprika et la muscade, puis versez sur la plaque préparée et lissez la surface. Laissez refroidir et raffermir.

2

Chauffez l'huile dans une sauteuse et mettez à fondre l'oignon et l'ail. Ajoutez les tomates, la purée de tomates et le sucre, salez et poivrez. Portez à ébullition, baissez le feu et laissez mijoter 20 min.

3

Retournez la polenta sur une planche à découper et coupez-la en carrés de 5 cm. Mettez la moitié des carrés dans un plat à four beurré. Arrosez de la moitié de la sauce tomate, parsemez de la moitié du fromage. Recommencez l'opération. Faites cuire au four 25 min, jusqu'à ce que le dessus soit bien doré.

Tortellini à la crème et au fromage

Les pâtes sont parfaites pour un repas vite fait.
Quelques minutes suffisent à préparer cette délicieuse sauce crémeuse.

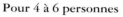

INGRÉDIENTS

* 500 g de tortellini frais
* 50 g de beurre, plus un peu pour le plat
* 30 cl de crème épaisse
* 25 g de parmesan frais
* 1 pincée de muscade râpée
* sel et poivre noir du moulin
* fines herbes fraîches, en garniture

Pour 4 à 6 personnes

CONSEIL
Variez cette recette avec différents fromages mais ne remplacez pas la crème épaisse par de la crème liquide qui tournerait.

3

Râpez le parmesan et incorporez-en 80 g dans la sauce. Laissez fondre, assaisonnez de sel, de poivre et de muscade. Préchauffez le gril.

4

Égouttez les pâtes et versez-les dans le plat de service. Arrosez de sauce, saupoudrez avec le reste de fromage et faites dorer sous le gril. Parsemez de fines herbes et servez aussitôt.

1

Faites cuire les pâtes à l'eau bouillante salée, selon les instructions du fabricant. Beurrez un plat de service allant au four.

2

Faites fondre le beurre dans une casserole et ajoutez la crème. Portez à ébullition et laissez cuire 2 à 3 min pour épaissir la sauce.

Chou-fleur au fromage

Plat classique et toujours apprécié, tout aussi bon avec des brocolis.
Pour un plat plus consistant, servez-le avec des tranches de lard fumé grillé.

INGRÉDIENTS

* 500 g de chou-fleur
détaillé en petits bouquets
* 40 g de beurre, plus un peu pour le plat
* 6 cuil. à soupe de farine
* 35 cl de lait
* 1 feuille de laurier
* 1 pincée de muscade râpée
* 1 cuil. à soupe de moutarde forte
* 200 g de gruyère ou d'emmenthal, râpé
* sel et poivre noir du moulin

Pour 4 à 6 personnes

1

Préchauffez le four à 180 °C (th. 6). Beurrez légèrement un plat à gratin.

2

Portez une grande casserole d'eau salée à ébullition, et faites cuire le chou-fleur 6 à 8 min, afin qu'il reste croquant.

3

Faites fondre le beurre dans une casserole, à feu moyen. Ajoutez la farine et laissez cuire, en remuant de temps à autre. Versez le lait peu à peu, en mélangeant sans arrêt jusqu'à ce que la sauce épaississe. Ajoutez le laurier, du sel, du poivre et la muscade, puis la moutarde. Baissez le feu et laissez frémir 5 min, en remuant de temps en temps. Retirez le laurier. Incorporez la moitié du fromage.

4

Mettez le chou-fleur dans le plat. Arrosez de sauce au gruyère et parsemez du reste de fromage. Faites cuire 20 min, jusqu'à ce que le gratin soit doré.

Œufs pochés aux épinards

Réalisez ce plat tout simple avec des feuilles d'épinard juste cueillies au potager.

INGRÉDIENTS

* 1 grosse noix de beurre
* 500 g de jeunes épinards
* 1/2 cuil. à café de vinaigre
* 4 œufs
* sel et poivre noir du moulin

Pour la sauce hollandaise
* 2 jaunes d'œufs
* 1 cuil. à soupe de jus de citron
* 1 cuil. à soupe d'eau
* 170 g de beurre coupé en dés
* sel et poivre blanc

Pour 4 personnes

CONSEIL
Pour obtenir un œuf poché bien rond,
créez un tourbillon dans l'eau
et faites glisser l'œuf au centre.

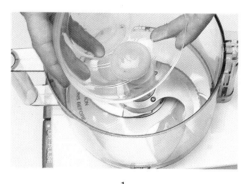

2

Faites fondre le beurre sur feu moyen, dans une poêle à fond épais. Ajoutez les épinards et laissez-les cuire, en remuant de temps en temps. Assaisonnez et gardez au chaud.

3

Portez à ébullition une casserole d'eau peu salée. Ajoutez le vinaigre. Cassez 1 œuf dans une soucoupe et faites-le glisser dans l'eau. Baissez le feu, laissez frémir quelques minutes, le blanc doit être pris et le jaune moelleux. Retirez à l'aide d'une écumoire et égouttez. Parez le blanc aux ciseaux et gardez l'œuf poché au chaud. Procédez de même avec les œufs restants.

4

Répartissez les épinards sur des assiettes chaudes, faites un creux au centre. Posez 1 œuf dans chaque creux et nappez d'un peu de sauce hollandaise.

1

Préparez la sauce hollandaise. Mélangez les jaunes d'œufs, le jus de citron et l'eau dans le bol d'un mixer. Faites fondre le beurre dans une petite casserole. Quand il mousse, versez-le en filet dans le mixer en action. Si nécessaire, ajoutez un peu de jus de citron, salez et poivrez. Mettez la sauce dans un bol, couvrez et gardez au chaud.

Œufs sur lit de poivrons rouges et verts

Les rubans de poivrons forment un joli lit pour les œufs nappés de crème.

INGRÉDIENTS

* 2 poivrons rouges
* 1 poivron vert
* 2 cuil. à soupe d'huile d'olive
* 1 gros oignon finement émincé
* 2 gousses d'ail écrasées
* 5 à 6 tomates pelées
et coupées en petits morceaux
* 12 cl de purée de tomates
ou de jus de tomates
* 1 bonne pincée de basilic en poudre
* 4 œufs
* 8 cuil. à soupe de crème liquide
* 1 pincée de poivre de Cayenne
(facultatif)
* sel et poivre noir du moulin
* pain croustillant, en accompagnement

Pour 4 personnes

1

Préchauffez le four à 180° (th. 6). Épépinez et émincez finement les poivrons. Chauffez l'huile d'olive dans une grande poêle. Faites fondre l'oignon et l'ail à feu doux pendant 5 min, en remuant.

2

Ajoutez les poivrons et laissez cuire 10 min. Incorporez les tomates et la purée ou le jus de tomates, le basilic et l'assaisonnement. Laissez cuire à feu doux, jusqu'à ce que les poivrons soient tendres.

3

Versez la préparation dans des plats à four individuels. Faites un creux au centre et cassez 1 œuf dans chaque plat. Versez 2 cuillerées à café de crème sur chaque œuf et saupoudrez d'un peu de poivre noir ou de Cayenne. Faites cuire 12 à 15 min au four, afin que le blanc soit juste pris. Servez aussitôt avec du pain croustillant.

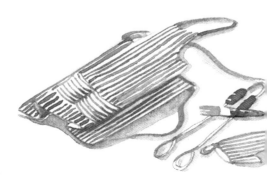

Œufs sur lit de pommes de terre et de jambon

* 50 g de beurre, plus un peu pour le plat
* 1 gros oignon haché
* 350 g de jambon coupé en dés
* 500 g de pommes de terre cuites, coupées en dés
* 120 g de cheddar ou de gruyère, râpé
* 2 cuil. à soupe de ketchup
* 2 cuil. à soupe de sauce Worcester
* 6 œufs
* quelques gouttes de Tabasco
* sel et poivre noir du moulin
* ciboulette fraîche ciselée, pour décorer

Pour 6 personnes

3

Faites six creux dans la préparation. Cassez chaque œuf dans un petit bol ou une soucoupe et faites-le glisser dans un creux.

4

Mettez à fondre le reste du beurre. Assaisonnez de Tabasco, puis versez sur les œufs et les pommes de terre. Faites cuire 15 à 20 min au four, afin que les œufs prennent. Décorez de ciboulette et servez.

1

Préchauffez le four à 160 °C (th. 5). Faites fondre la moitié du beurre dans une poêle. Mettez à revenir l'oignon, en remuant de temps à autre. Versez dans un saladier, ajoutez le jambon, les pommes de terre, le fromage, le ketchup et la sauce Worcester.

2

Assaisonnez le mélange. Étalez-le dans un plat à four beurré, sur 3 cm d'épaisseur. Enfournez pour 10 min.

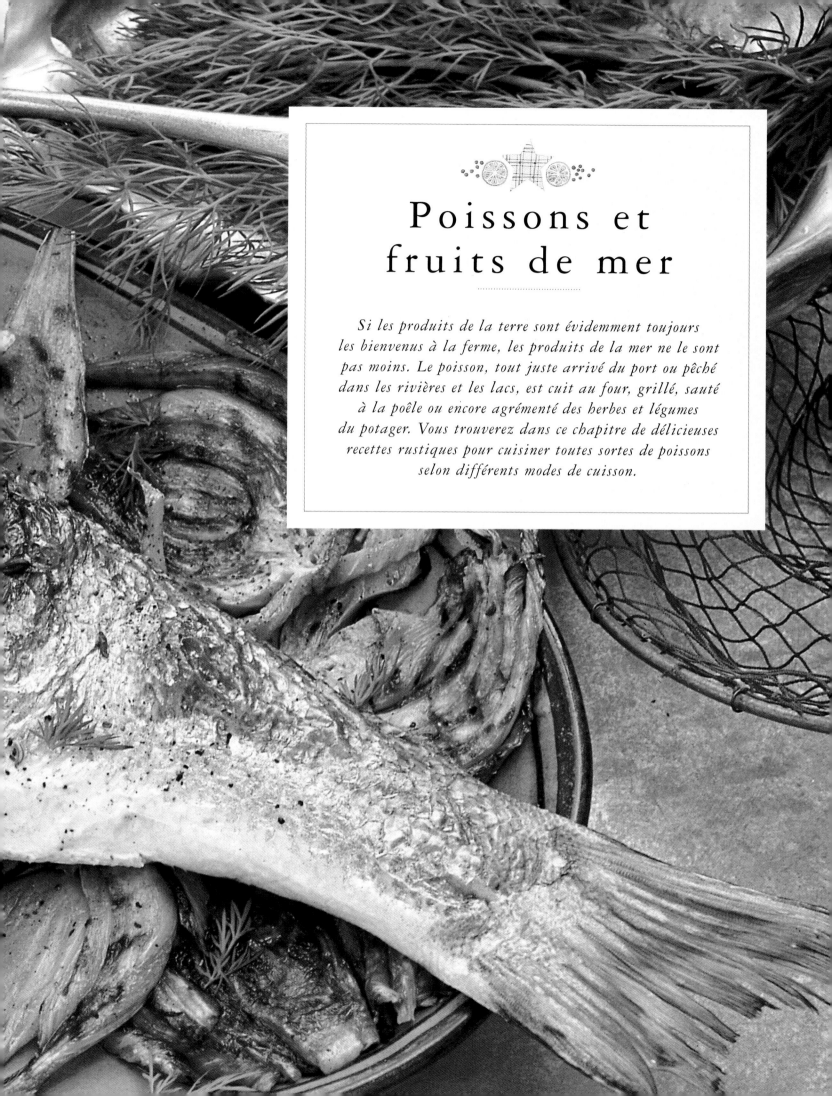

Poissons et fruits de mer

Si les produits de la terre sont évidemment toujours
les bienvenus à la ferme, les produits de la mer ne le sont
pas moins. Le poisson, tout juste arrivé du port ou pêché
dans les rivières et les lacs, est cuit au four, grillé, sauté
à la poêle ou encore agrémenté des herbes et légumes
du potager. Vous trouverez dans ce chapitre de délicieuses
recettes rustiques pour cuisiner toutes sortes de poissons
selon différents modes de cuisson.

Maquereau aux myrtilles rôties

*La cuisson au four exalte le parfum des myrtilles fraîches, dont l'acidité
se marie remarquablement avec la chair riche du maquereau.*

INGRÉDIENTS

* 2 cuil. à café de farine
* 4 petits filets de maquereau fumé
* 50 g de beurre en petits morceaux
* le jus d'1/2 citron
* sel et poivre noir du moulin

Pour les myrtilles au four
* 500 g de myrtilles
* 2 cuil. à soupe de sucre en poudre
* 1 noix de beurre
* sel et poivre noir du moulin

Pour 4 personnes

1

Préchauffez le four à 200 °C (th. 6). Assaisonnez la farine. Farinez chaque filet de poisson.

2

Parsemez les filets de beurre et faites-les cuire
au four 20 min.

3

Mettez les myrtilles, le sucre, le beurre et l'assaisonnement dans un autre plat et faites
cuire 15 min au four, en arrosant de temps à
autre. Arrosez le maquereau de jus de citron
et servez avec les myrtilles.

Ragoût de la mer

Quoi de plus convivial qu'un délicieux ragoût de poissons à partager en famille,
autour de la grande table en bois de la cuisine de la ferme !

INGRÉDIENTS

* 3 cuil. à soupe d'huile d'olive
* 2 gros oignons hachés
* 1 petit poivron vert épépiné et émincé
* 3 carottes coupées en petits morceaux
* 3 gousses d'ail écrasées
* 2 cuil. à soupe de purée de tomates
* 2 boîtes de 400 g de tomates concassées
* 3 cuil. à soupe de persil frais haché
* 1 cuil. à café de thym frais effeuillé
* 1 cuil. à soupe de basilic frais, découpé en petits morceaux
* 12 cl de vin blanc sec
* 500 g de crevettes roses crues, décortiquées et filament retiré, ou de crevettes cuites épluchées
* 1,5 kg de moules (en coquilles) nettoyées
* 1 kg de filet de flétan ou d'un autre poisson blanc à chair ferme, coupé en morceaux de 5 cm
* 35 cl de bouillon de poisson ou d'eau
* sel et poivre noir du moulin
* quelques fines herbes hachées, en garniture

Pour 6 personnes

2

Ajoutez la purée de tomates, les tomates concassées, les herbes et le vin. Portez à ébullition, baissez le feu et laissez frémir 20 min. Incorporez les crevettes, les moules, les morceaux de poisson et le bouillon ou l'eau. Salez et poivrez.

3

Portez de nouveau à ébullition, puis laissez frémir 5 à 6 min, afin que les crevettes soient roses, les moules ouvertes et le poisson cuit. Si vous prenez des crevettes déjà cuites, ajoutez-les en fin de cuisson. Servez le ragoût dans des assiettes à soupe, parsemé d'herbes.

1

Chauffez l'huile dans une cocotte. Mettez les oignons, le poivron vert, les carottes et l'ail à cuire 5 min, pour les attendrir.

Morue en parmentier au basilic et à la tomate

Accompagné d'une salade verte, ce plat est parfait pour un dîner familial.

INGRÉDIENTS

* 1 kg de morue fumée
* 1 kg de morue fraîche
* 60 cl de lait
* 2 brins de basilic
* 1 brin de thym citron
* 80 g de beurre
* 1 oignon haché
* 80 g de farine
* 2 cuil. à soupe de purée de tomates
* 2 cuil. à soupe de basilic haché
* 1 cuil. à soupe de persil haché, pour décorer

Pour la purée de pommes de terre
* 12 pommes de terre à purée moyennes
* 50 g de beurre
* 30 cl de lait
* sel et poivre noir du moulin

Pour 8 personnes

1

Placez les 2 sortes de morue dans un plat à four avec le lait, 1,25 l d'eau et les herbes. Faites frémir 3 à 4 min, puis laissez refroidir 20 min dans le liquide. Égouttez le poisson, en réservant le liquide pour la sauce. Effeuillez en retirant soigneusement les peaux et les arêtes.

2

Faites fondre le beurre dans une casserole, ajoutez l'oignon et laissez revenir 4 à 5 min, sans qu'il dore. Ajoutez la farine, la purée de tomates et la moitié du basilic. Versez progressivement le liquide de cuisson réservé, en ajoutant un peu de lait si nécessaire, jusqu'à ce que la sauce devienne assez liquide. Portez à ébullition, salez et poivrez, ajoutez le reste du basilic. Incorporez le poisson avec précaution. Versez dans un plat à four et réservez.

3

Préchauffez le four à 180 °C (th. 6). Faites cuire les pommes de terre à l'eau, passez-les au moulin à légumes, ajoutez le beurre, le lait et mélangez bien. Salez et poivrez. Recouvrez le poisson de purée et dessinez un croisillon à la fourchette. Faites cuire au four 30 min. Servez avec du persil haché.

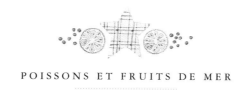
Bar grillé au fenouil

Le parfum si particulier du fenouil se marie remarquablement avec le poisson.

INGRÉDIENTS

* 1 bar de 1,75 kg vidé et nettoyé
* 4 à 6 cuil. à soupe d'huile d'olive
* 2 à 3 cuil. à café de graines de fenouil
* 2 gros bulbes de fenouil avec leurs feuilles
* 4 cuil. à soupe de pastis
* sel et poivre noir du moulin

Pour 6 à 8 personnes

1

Avec un couteau aiguisé, pratiquez 3 à 4 incisions de chaque côté du poisson. Badigeonnez d'huile d'olive, salez et poivrez. Parsemez l'ouverture centrale et les incisions de graines de fenouil. Réservez.

2

Préchauffez le gril. Réduisez les feuilles du fenouil et coupez les bulbes en quatre dans la longueur. Retirez le cœur et émincez-le finement. Réservez les feuilles. Badigeonnez les bulbes tranchés d'huile et faites-les cuire sous le gril, 4 min de chaque côté. Réservez-les sur un grand plat au chaud.

3

Placez le poisson sur la grille du four huilée, avec la tôle en dessous, à 15 cm de la source de chaleur. Faites-le griller 10 à 12 min de chaque côté, en badigeonnant 1 à 2 fois d'huile en cours de cuisson. Posez-le sur le fenouil grillé. Garnissez de feuilles de fenouil. Chauffez le pastis dans une petite casserole, flambez et versez sur le poisson. Servez aussitôt.

Millefeuille de flétan aux herbes

Les épices donnent une note exotique au poisson onctueux.

INGRÉDIENTS

* 250 g de pâte feuilletée
* beurre pour la plaque
* 1 œuf battu
* 1 petit oignon
* 1 cuil. à soupe de gingembre frais râpé
* 1/2 cuil. à soupe d'huile
* 15 cl de bouillon de poisson
* 1 cuil. à soupe de xérès sec
* 350 g de flétan cuit et effeuillé
* 225 g de chair de crabe
* sel et poivre
* 1 avocat
* le jus d'1 citron vert
* 1 mangue
* 1 cuil. à soupe d'un mélange de persil, thym et ciboulette, en garniture

Pour 2 personnes

1

Étalez la pâte feuilletée en un carré de 25 × 25 cm, égalisez les bords et posez sur une plaque beurrée. Piquez la pâte à l'aide d'une fourchette, puis laissez-la reposer au réfrigérateur au moins 30 min. Préchauffez le four à 230 °C (th. 7). Badigeonnez la pâte d'œuf battu et faites cuire 10 à 15 min pour bien la dorer.

3

Faites cuire l'oignon et le gingembre dans l'huile. Versez le bouillon de poisson et le xérès, laissez mijoter 5 min. Ajoutez le flétan et la chair de crabe, salez et poivrez. Épluchez l'avocat, coupez-le en morceaux et arrosez-le de jus de citron. Pelez la mangue, coupez-la en morceaux et réservez quelques tranches. Ajoutez l'avocat et la mangue au poisson.

2

Attendez quelques minutes avant de la couper en 6 rectangles de même taille. Laissez complètement refroidir.

4

Montez le millefeuille en alternant pâte feuilletée et préparation au poisson. Servez-le garni de fines herbes et de tranches de mangue.

Feuilleté au saumon et au gingembre

Ce feuilleté exceptionnel est un vrai régal. La saveur du saumon y est particulièrement mise en valeur.

INGRÉDIENTS

* 800 g de filet de saumon
* 3 cuil. à soupe d'huile de noix
* 1 cuil. à soupe de jus de citron vert
* 2 cuil. à café de thym citron frais effeuillé
* 2 cuil. à soupe de vin blanc
* 400 g de pâte feuilletée
* 50 g d'amandes émincées
* 3 à 4 morceaux de gingembre confit haché
* 1 œuf battu
* sel et poivre noir du moulin

Pour 4 à 6 personnes

1

Coupez le saumon en deux, retirez les arêtes et les peaux blanches. Séparez en 4 filets que vous posez dans un plat creux. Mélangez l'huile, le jus de citron, le thym, le vin et le poivre et versez sur le poisson. Laissez mariner toute la nuit au réfrigérateur.

2

Divisez la pâte feuilletée en 2 morceaux, l'un un peu plus gros que l'autre. Étalez. Le petit morceau devra recevoir 2 filets de saumon et le second devra dépasser de 5 cm tout autour.

3

Égouttez les filets de poisson et jetez la marinade. Préchauffez le four à 190 °C (th. 6). Posez 2 filets sur le petit morceau de pâte, salez et poivrez. Ajoutez les amandes et le gingembre, puis couvrez avec les 2 autres filets.

4

Assaisonnez, couvrez avec le second morceau de pâte et soudez les bords. Badigeonnez d'œuf battu, décorez avec les restes de pâte. Faites cuire le feuilleté 40 min au four.

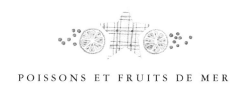

Lotte aux poireaux, sauce au thym

La lotte est toujours appréciée pour sa texture ferme et son goût délicat.

INGRÉDIENTS

* 1 kg de lotte détaillée en gros dés
* sel et poivre
* 80 g de beurre
* 4 poireaux émincés
* 1 cuil. à soupe de farine
* 15 cl de bouillon de poisson ou de légumes
* 2 cuil. à café de thym frais effeuillé, plus quelques brins pour décorer
* le jus d'1 citron
* 15 cl de crème liquide
* salade trévise, en accompagnement

Pour 4 personnes

1

Salez et poivrez le poisson. Mettez-le à dorer quelques minutes à la poêle, dans 1/3 du beurre. Réservez.

2

Faites cuire les poireaux dans la poêle avec le second tiers du beurre. Réservez.

3

Faites fondre le reste du beurre dans la poêle, incorporez la farine, puis le bouillon, tout en remuant. Quand la sauce épaissit, ajoutez le thym et le jus de citron.

4

Remettez les poireaux et la lotte dans la poêle et laissez cuire quelques minutes à feu doux. Versez la crème et assaisonnez. Servez aussitôt, décoré de thym, sur un lit de trévise.

Ragoût de poissons au calvados, au persil et à l'aneth

Ce ragoût rustique qui révèle toutes sortes de parfums étonnera les convives.
Choisissez les poissons les plus frais et les plus goûteux.

INGRÉDIENTS

* 1 kg de poissons blancs assortis
* 1 cuil. à soupe de persil haché,
plus quelques feuilles pour décorer
* 250 g de champignons de Paris
* 1 boîte de 250 g de tomates concassées
* sel et poivre
* 2 cuil. à café de farine
* 1 noix de beurre
* 50 cl de cidre
* 3 cuil. à soupe de calvados
* 1 bouquet d'aneth frais,
plus quelques brins pour décorer

Pour 4 personnes

1

Coupez les poissons en gros morceaux et mettez-les dans une cocotte avec le persil, les champignons et les tomates. Salez et poivrez.

2

Préchauffez le four à 180 °C (th. 6). Mélangez la farine et le beurre. Faites chauffer le cidre et incorporez peu à peu le mélange précédent. Laissez cuire en remuant, jusqu'à ce que la sauce épaississe légèrement.

3

Ajoutez la sauce et le calvados au poisson. Mélangez délicatement, couvrez et faites cuire 30 min au four. Servez décoré de brins d'aneth et de feuilles de persil.

Truites grillées au lard

Vous pouvez également cuire ce plat au barbecue.

INGRÉDIENTS

* 4 truites vidées et préparées
* 1 cuil. à soupe de farine
* 100 g de lard fumé
coupé en tranches très fines
* 50 g de beurre
* 1 cuil. à soupe d'huile d'olive
* le jus d'1/2 citron
* sel et poivre noir du moulin

Pour 4 personnes

1

Séchez les truites dans du papier absorbant. Mélangez la farine et l'assaisonnement.

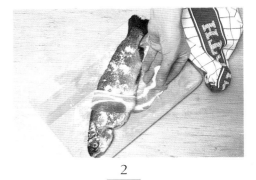

2

Roulez les truites dans la farine assaisonnée et entourez-les des tranches de lard, en serrant bien. Chauffez le beurre et l'huile dans une poêle, puis faites cuire les truites 5 min de chaque côté. Servez aussitôt, en les arrosant de jus de citron.

96

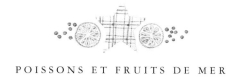

Filets de truites, sauce aux épinards et champignons

*Les champignons, sauvages ou de Paris, composent la base
de cette sauce riche accompagnant les truites en filets.*

INGRÉDIENTS

* 4 truites arc-en-ciel détaillées
en 8 filets sans la peau
* pommes de terre nouvelles ou épis de
maïs miniatures, en accompagnement

Pour la sauce épinards
et champignons
* 75 g de beurre
* 1/4 d'oignon haché
* 250 g de champignons sauvages
ou de Paris, hachés
* 30 cl de bouillon de poulet bouillant
* 250 g d'épinards surgelés hachés
* 2 cuil. à café de Maïzena délayée
dans 1 cuil. à soupe d'eau froide
* 15 cl de crème fraîche
* 1 pincée de muscade râpée
* sel et poivre noir du moulin

Pour 4 personnes

CONSEIL
Cette sauce se marie tout aussi bien avec
les filets de morue, de haddock et de sole.

_____
2

Ajoutez la Maïzena, portez à ébullition, puis
laissez épaissir à feu doux. Réduisez en purée.
Incorporez la crème fraîche, assaisonnez de
sel, poivre et muscade. Passez au mixer, versez dans une saucière et gardez au chaud.

_____
3

Faites fondre le reste du beurre dans une
grande poêle antiadhésive. Assaisonnez les
filets de poisson et mettez-les à cuire 6 min,
en les retournant à mi-cuisson. Servez les
filets de truite nappés de sauce, accompagnés
de pommes de terre nouvelles ou d'épis de
maïs miniatures.

_____
1

Préparez la sauce. Faites fondre les 2/3 du
beurre dans une poêle et mettez à revenir
l'oignon. Ajoutez les champignons puis, lorsqu'ils ont sorti leur eau, incorporez le bouillon et les épinards. Laissez cuire jusqu'à ce que
les épinards soient complètement décongelés.

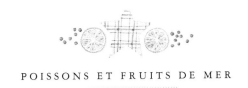
Truites aux amandes

*Cette recette simple et vite faite peut être adaptée pour quatre personnes,
en faisant cuire les truites dans deux poêles ou en deux fois.*

INGRÉDIENTS

* 2 truites préparées
d'environ 400 g chacune
* 6 cuil. à soupe de farine
* 50 g de beurre
* 4 cuil. à soupe d'amandes émincées
* 2 cuil. à soupe de vin blanc sec
* sel et poivre noir du moulin

Pour 2 personnes

CONSEIL
Pour fariner facilement les truites, mettez-
les l'une après l'autre dans un grand sac
en plastique contenant la farine, le sel et
le poivre. Secouez avec précaution. Retirez
l'excès de farine en tapotant la truite.

1

Farinez les truites avec la farine salée et poivrée. Faites fondre la moitié du beurre dans
une grande poêle. Quand il mousse, mettez
les truites à cuire 6 à 7 min de chaque côté,
jusqu'à ce que la peau soit dorée et la chair
opaque au niveau de l'arête. Réservez sur des
assiettes chaudes, au chaud.

2

Mettez le reste du beurre dans la poêle et
faites dorer légèrement les amandes. Ajoutez
le vin et laissez bouillir 1 min environ, en
remuant constamment, jusqu'à ce que la
sauce soit sirupeuse. Versez sur les truites et
servez aussitôt.

Thon à l'ail, aux tomates et aux herbes

Vous pouvez utiliser des herbes sèches ou fraîches.

INGRÉDIENTS

* 4 steaks de thon frais, épais de 2 à
3 cm environ (180-200 g chacun)
* 2 à 3 cuil. à soupe d'huile d'olive
* 3 à 4 gousses d'ail hachées
* 4 cuil. à soupe de vin blanc sec
* 3 tomates mûres pelées, épépinées
et coupées en petits morceaux
* 1 à 2 cuil. à soupe d'un mélange
de fines herbes sèches
* sel et poivre noir du moulin
* feuilles de basilic frais, en garniture

Pour 4 personnes

CONSEIL
Le thon est souvent servi rose au centre.
Si vous le préférez bien cuit, baissez le feu
et laissez cuire quelques minutes de plus.

1

Salez et poivrez le thon. Posez une poêle à
fond épais sur feu vif. Quand elle est très
chaude, versez l'huile et inclinez la poêle pour
la répartir. Ajoutez les steaks de thon en
appuyant sur chacun avec la spatule, puis laissez-les cuire 6 à 8 min sur feu moyen, en les
retournant à mi-cuisson, le poisson restant
rose au centre.

2

Réservez les steaks de thon sur le plat de service au chaud. Faites dorer l'ail 15 à 20 s dans
la poêle, versez le vin et laissez réduire de
moitié. Ajoutez les tomates et les herbes, puis
faites cuire 2 à 3 min. Poivrez et versez la sauce
sur le poisson. Servez garni de basilic frais.

Sardines grillées à l'ail

Garnissez les sardines avec une gousse d'ail émincée et légèrement grillée.
Cette recette convient également aux sprats ou aux anchois frais, si vous en trouvez.

INGRÉDIENTS

* *8 sardines fraîches*
* *2 cuil. à soupe d'huile d'olive*
* *4 gousses d'ail épluchées*
* *le zeste finement râpé de 2 citrons*
* *2 cuil. à soupe de persil frais haché*
* *sel et poivre noir du moulin*

Pour le pain tomaté
* *2 grosses tomates mûres*
* *8 tranches de pain grillé*

Pour 4 personnes

1

Videz et nettoyez les sardines. Essuyez-les avec du papier absorbant.

2

Faites chauffer l'huile dans une poêle pour y dorer les gousses d'ail.

3

Retirez l'ail de la poêle et mettez à frire les sardines 4 à 5 min. Parsemez de zeste de citron et de persil, assaisonnez.

4

Frottez sur le pain grillé les tomates coupées en deux. Servez chaque sardine, garnie d'1/2 gousse d'ail, sur 1 tranche de pain tomaté.

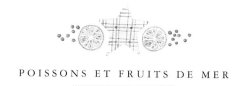
Sardines farcies

Les sardines prennent une saveur originale avec cette farce aux pignons.

INGRÉDIENTS

* 8 sardines fraîches
* 80 g de chapelure
* 2 cuil. à soupe d'huile d'olive
* 50 g de raisins de Smyrne
* 50 g de pignons de pin
* 1 boîte de 50 g de filets d'anchois égouttés
* 4 cuil. à soupe de persil frais haché
* 1 oignon haché
* sel et poivre noir du moulin
* quartiers de citron, en garniture

Pour 4 personnes

___3___

Farcissez chaque sardine d'un peu de préparation. Fermez bien l'ouverture et disposez les sardines dans un plat à four, en une seule couche.

___4___

Éparpillez le reste de la farce sur les sardines, arrosez de l'huile d'olive restante. Faites cuire 30 min au four. Servez chaud, garni de citron.

___1___

Préchauffez le four à 200 °C (th. 7). Videz et nettoyez les sardines, essuyez-les avec du papier absorbant. Faites dorer la chapelure à la poêle, dans 1 cuillerée à soupe d'huile chaude.

___2___

Ajoutez les raisins, les pignons, les anchois, le persil, l'oignon, du sel et du poivre.

Morue pochée à la grecque

*La morue fraîche est souvent servie nature ou presque.
Même si elle est délicieuse ainsi, on peut aussi la préparer selon des recettes
plus élaborées. Elle est ici pochée avec des oignons et des tomates.*

INGRÉDIENTS

* 25 cl d'huile d'olive
* 2 oignons finement émincés
* 3 grosses tomates parfumées,
  coupées en gros morceaux
* 3 gousses d'ail finement émincées
* 1 cuil. à café de sucre en poudre
* 1 cuil. à café d'aneth frais haché
* 1 cuil. à café de menthe fraîche hachée
* 1 cuil. à café de feuilles de céleri frais
* 1 cuil. à soupe de persil frais haché
* 30 cl d'eau
* 6 pavés de morue fraîche
* le jus d'1 citron
* sel et poivre noir du moulin
* aneth, menthe ou persil, pour décorer

Pour 6 personnes

1

Chauffez l'huile dans une grande sauteuse et faites fondre les oignons. Ajoutez les tomates, l'ail, le sucre, l'aneth, la menthe, le céleri et le persil. Arrosez d'eau. Salez et poivrez, puis laissez frémir 25 min, sans couvercle, jusqu'à ce que le liquide réduise d'1/3.

2

Ajoutez les pavés de morue et laissez cuire à feu doux 10 à 12 min. Retirez du feu et arrosez de jus de citron. Laissez macérer 20 min avant de servir. Disposez les pavés de morue dans un plat et nappez de sauce. Décorez avec les herbes et servez chaud ou froid.

Morue aux lentilles et aux poireaux

Plat original, parfait pour recevoir des amis. Faites cuire les légumes à l'avance et mettez le poisson au four pendant que vos invités et vous dégustez l'entrée.

INGRÉDIENTS

* 150 g de lentilles vertes lavées
* 1 feuille de laurier
* 1 gousse d'ail finement émincée
* le zeste râpé d'1 orange
* le zeste râpé d'1 citron
* 1 pincée de cumin en poudre
* 1 noix de beurre
* 500 g de poireaux finement émincés
* 25 cl de crème liquide
* 1 cuil. à soupe de jus de citron (ou plus, selon votre goût)
* 800 g de morue en un filet épais, sans la peau
* sel et poivre noir du moulin

Pour 4 personnes

1

Mettez les lentilles, le laurier et l'ail dans une grande casserole, couvrez d'eau sur 5 cm. Portez à ébullition, laissez bouillir 10 min, puis baissez le feu et laissez frémir encore 15 à 30 min, afin que les lentilles soient juste cuites.

2

Égouttez les lentilles et jetez le laurier, ajoutez la moitié du zeste d'orange et tout le zeste de citron. Assaisonnez de cumin, salez et poivrez. Versez dans un plat à gratin. Préchauffez le four à 190 °C (th. 6).

3

Faites fondre le beurre dans une casserole sur feu moyen, mettez les poireaux à revenir à feu doux pour les attendrir, en remuant fréquemment. Ajoutez 20 cl de crème et le zeste d'orange restant, puis laissez cuire à feu doux 15 à 20 min, jusqu'à ce que les poireaux soient fondus et la crème épaisse. Versez le jus de citron, salez et poivrez généreusement.

4

Coupez le poisson en 4 morceaux et retirez toutes les arêtes. Salez et poivrez. Posez les morceaux de poisson sur les lentilles et enfoncez-les légèrement. Recouvrez chaque morceau avec 1/4 du mélange de poireaux et arrosez le tout de la crème restante. Faites cuire 30 min au four, afin que le poisson soit bien cuit et le dessus doré.

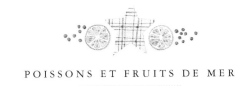
Ragoût de la mer festif

La cuisine de terroir, souvent simple et rustique, sait aussi célébrer les occasions spéciales par des plats recherchés, comme ce ragoût venu d'Espagne.

INGRÉDIENTS

* 1 homard cuit
* 24 moules
* 1 grosse queue de lotte
* 1 cuil. à soupe de farine
* 250 g d'anneaux de calamars
* 6 cuil. à soupe d'huile d'olive
* 12 grosses crevettes roses crues
* 500 g de tomates mûres

* 2 gros oignons doux
* 4 gousses d'ail écrasées
* 2 cuil. à soupe de cognac
* 2 feuilles de laurier
* 1 cuil. à café de paprika
* 1 piment rouge épépiné
  et haché grossièrement
* 30 cl de bouillon de poisson

* 3 cuil. à soupe d'amandes en poudre
* 2 cuil. à soupe de persil frais haché
* sel et poivre noir du moulin
* salade verte et pain chaud,
  en accompagnement

Pour 6 personnes

1

Coupez le homard en deux et retirez le filament noir tout le long du dos. Cassez les pinces au marteau. Nettoyez les moules et jetez celles qui sont cassées ou restent ouvertes si vous les tapotez avec un couteau. Séparez la lotte en filets en retirant l'« os » central et coupez chaque filet en trois.

2

Assaisonnez la farine et farinez-en la lotte et les calamars. Chauffez l'huile dans une poêle. Mettez la lotte et les calamars à sauter à feu vif, puis retirez-les de la poêle. Faites revenir les crevettes et réservez-les. Plongez les tomates 30 s dans de l'eau bouillante et passez-les sous l'eau froide. Pelez-les et coupez-les en gros morceaux.

3

Hachez les oignons et mettez-les dans la poêle avec 2/3 de l'ail. Laissez dorer 3 min, puis versez le cognac et faites flamber. Quand les flammes sont éteintes, ajoutez les tomates, le laurier, le paprika, le piment et le bouillon. Portez à ébullition, baissez le feu et laissez frémir 5 min.

4

Ajoutez les moules, couvrez et laissez cuire 3 à 4 min, pour qu'elles s'ouvrent. Retirez les moules de la sauce et jetez celles qui restent fermées. Disposez le poisson, les calamars, le homard et les moules dans un grand plat de service pouvant aller sur le feu.

5

Réduisez au mixer la poudre d'amandes, l'ail restant et le persil, puis incorporez la pâte obtenue à la sauce. Salez et poivrez. Versez la sauce sur le poisson et le homard, réchauffez l'ensemble 5 min à feu doux. Servez aussitôt avec une salade verte et du pain chaud.

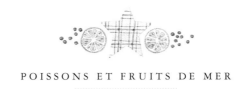
Risotto de la mer

*Le risotto est un plat rustique qui s'adapte aux saisons et aux légumes disponibles.
Il peut être préparé avec tous types de fruits de mer.*

INGRÉDIENTS

* 4 cuil. à soupe d'huile de tournesol
* 1 oignon haché
* 2 gousses d'ail écrasées
* 250 g de riz arborio
* 10 cl de vin blanc
* 1,5 l de bouillon de poisson bouillant
* 400 g d'un mélange de fruits de mer
(crevettes crues, moules, anneaux
de calamars ou coques, préparés comme
le nécessite chaque produit)
* le zeste râpé d'1/2 citron
* 2 cuil. à soupe de purée de tomates
* 1 cuil. à soupe de persil frais haché
* sel et poivre noir du moulin

Pour 4 personnes

1

Chauffez l'huile dans une casserole à fond épais et faites fondre l'oignon et l'ail, sur feu doux. Ajoutez le riz et mélangez. Versez le vin et remuez sur feu moyen, jusqu'à absorption complète.

2

Versez 15 cl de bouillon de poisson et laissez le riz absorber le liquide, en remuant constamment. Continuez à incorporer du bouillon de cette manière jusqu'à ce qu'il n'en reste plus que la moitié, ce qui prend environ 10 min.

3

Ajoutez les fruits de mer et laissez cuire 2 à 3 min. Incorporez le reste du bouillon comme précédemment, jusqu'à cuisson complète du riz qui doit être tendre et crémeux. Ajoutez le zeste de citron, la purée de tomates et le persil. Salez, poivrez et servez chaud.

Brochettes de gambas à l'italienne

*Ces délicieuses brochettes, qu'elles soient cuites sous le gril ou au barbecue,
sont parfaites pour un déjeuner au jardin.*

INGRÉDIENTS

* 1 kg de gambas décortiquées
* 4 cuil. à soupe d'huile d'olive
* 3 cuil. à soupe d'huile de tournesol
* 200 g de chapelure sèche très fine
* 1 gousse d'ail écrasée
* 1 cuil. à soupe de persil frais haché
* sel et poivre noir du moulin
* quartiers de citron, en garniture

Pour 4 personnes

1

Incisez le dos des gambas et retirez le filament noir. Rincez à l'eau froide et essuyez sur un torchon. Mélangez les huiles dans une jatte et ajoutez les gambas en les enrobant du mélange.

2

Incorporez la chapelure, l'ail et le persil, salez et poivrez. Retournez les gambas dans cette préparation pour qu'elles s'en imprègnent bien. Couvrez et laissez mariner 1 h.

3

Préchauffez le gril. Enfilez les gambas sur 4 brochettes en métal, en les courbant pour que la queue soit embrochée en son centre. Posez les brochettes sur une plaque et faites-les griller 2 min de chaque côté, jusqu'à ce que la chapelure soit dorée. Servez avec des quartiers de citron.

Boulettes de crabe

Moutarde, raifort et sauce Worcester parfument délicieusement ces boulettes de crabe.

INGRÉDIENTS

* 500 g de chair de crabe
* 1 œuf battu
* 1 cuil. à café de moutarde forte
* 2 cuil. à café de raifort en pot
* 2 cuil. à café de sauce Worcester
* 8 ciboules finement hachées
* 3 cuil. à soupe de persil frais haché
* 80 g de chapelure fraîche
* 1 cuil. à soupe de crème liquide (facultatif)
* 120 g de chapelure sèche
* 40 g de beurre
* sel et poivre noir du moulin
* quartiers de citron et brins d'aneth, en garniture

Pour 3 à 6 personnes

1

Réunissez dans une jatte la chair de crabe, l'œuf, la moutarde, le raifort, la sauce Worcester, les ciboules, le persil et la chapelure fraîche. Mélangez avec précaution, sans émietter le crabe. Assaisonnez. Si la préparation est trop sèche, ajoutez la crème liquide. Séparez en 6 morceaux que vous façonnez en boulettes aplaties.

2

Étalez la chapelure sèche sur une assiette et enrobez les boulettes de chapelure. Faites fondre le beurre dans une poêle et mettez à cuire les boulettes 3 min de chaque côté, afin qu'elles soient bien dorées Si nécessaire, ajoutez du beurre. Servez avec des quartiers de citron et de l'aneth.

Crabes farcis

La bonne cuisine est aussi appétissante à l'œil qu'au palais, comme le sont ces crabes farcis.

INGRÉDIENTS

* 4 crabes cuits très frais
* 1 branche de céleri coupée en dés
* 1 ciboule hachée
* 1 petit piment vert frais, épépiné et haché
* 5 cuil. à soupe de mayonnaise
* 2 cuil. à soupe de jus de citron
* 1 cuil. à soupe de ciboulette fraîche ciselée
* 25 g de chapelure fraîche
* 50 g de cheddar ou de gruyère, râpé
* 1 grosse noix de beurre fondu
* sel et poivre noir du moulin
* quelques brins de persil frais, pour décorer

Pour 4 personnes

1

Préchauffez le four à 190 °C (th. 6). Décortiquez les crabes, retirez-en la chair et réservez-la.

3

Dans une jatte, mélangez la chair de crabe, le céleri, la ciboule, le piment, la mayonnaise, le jus de citron et la ciboulette. Assaisonnez. Dans un bol, mélangez la chapelure, le fromage et le beurre fondu.

2

Coupez aux ciseaux la jonction du dessous de chaque carapace. Détachez les parties intérieures des carapaces, lavez-les et séchez-les.

4

Farcissez les carapaces de la préparation au crabe, saupoudrez du mélange de fromage. Faites cuire 20 min au four, afin que les crabes soient dorés. Servez chaud, décorés de persil.

Volailles
et gibiers

Poulets et canards jouent un grand rôle dans la cuisine paysanne, avec des ragoûts mijotant longuement sur le feu, des tourtes chaleureuses et de délicieux rôtis aux parfums alléchants. Le gibier à plumes et à poils est apprécié pendant la saison de la chasse, le lapin de garenne et le lièvre étant les plus courants. Ce chapitre vous offre de délicieuses recettes pour un repas consistant.

Tourte traditionnelle au poulet

Avec sa croûte dorée et sa riche garniture de poulet et de légumes,
cette tourte à l'ancienne est toujours appréciée.

INGRÉDIENTS

* 50 g de beurre
* 1 oignon haché
* 3 carottes coupées en dés
* 1 panais coupé en dés
* 3 cuil. à soupe de farine
* 35 cl de bouillon de poulet
* 5 cuil. à soupe de xérès demi-sec
* 5 cuil. à soupe de vin blanc sec
* 20 cl de crème fraîche
* 120 g de petits pois surgelés, décongelés
* 350 g de chair de poulet cuit, détaillée en morceaux

* 1 cuil. à café de thym séché
* 1 cuil. à soupe de persil frais haché
* sel et poivre noir du moulin
* 1 œuf battu avec 2 cuil. à soupe de lait, pour dorer

Pour la pâte
* 180 g de farine
* 1/2 cuil. à café de sel
* 120 g de margarine dure
* 2 à 3 cuil. à soupe d'eau froide

Pour 6 personnes

1

Préparez la pâte. Mélangez la farine et le sel. Incorporez la margarine en malaxant du bout des doigts. Versez suffisamment d'eau froide pour former une pâte. Farinez, enveloppez et réservez au frais.

2

Préchauffez le four à 200 °C (th. 7). Faites fondre la moitié du beurre dans une casserole. Mettez l'oignon, les carottes et le panais à cuire 10 min. Retirez de la casserole à l'aide d'une écumoire.

3

Faites fondre le reste du beurre. Ajoutez la farine et laissez cuire 2 min, en remuant constamment. Versez le bouillon, le xérès et le vin blanc. Portez à ébullition, puis laissez cuire 1 min sans cesser de mélanger.

4

Incorporez la crème fraîche, les petits pois, le poulet, le thym et le persil. Salez et poivrez. Laissez mijoter 1 min en remuant, puis versez dans une terrine de 2 litres.

5

Étalez la pâte. Recouvrez-en la viande et coupez la pâte qui dépasse. Mouillez le bord du plat. Avec une fourchette, appuyez sur tout le pourtour de la pâte pour la souder au bord. Découpez des formes décoratives dans le reste de pâte. Badigeonnez la tourte d'œuf battu et collez les formes sur le dessus.

6

Badigeonnez à nouveau d'œuf. Faites 1 à 2 trous dans la pâte pour que la vapeur puisse s'échapper. Mettez à cuire 35 min au four, jusqu'à ce que la croûte soit dorée. Servez chaud.

Ragoût de poulet au maïs

Les Américains accompagnent ce ragoût rustique de petits pains qui ressemblent
aux « scones » anglais. L'association est tout à fait réussie.

INGRÉDIENTS

* *1 poulet de 2 kg*
coupé en portions individuelles
* *paprika*
* *2 cuil. à soupe d'huile d'olive*
* *1 grosse noix de beurre*
* *500 g d'oignons hachés*
* *1 poivron vert ou jaune,*
épépiné et haché
* *1 boîte de 400 g de tomates concassées*
* *25 cl de vin blanc*
* *50 cl de bouillon de poulet ou d'eau*
* *3 cuil. à soupe de persil frais haché*
* *1/2 cuil. à café de Tabasco*
* *1 cuil. à soupe de sauce Worcester*
* *300 g de maïs en grains*
(frais, surgelé ou en boîte)
* *150 g de fèves (fraîches ou surgelées)*
* *3 cuil. à soupe de farine*
* *sel et poivre noir du moulin*
* *quelques brins de persil plat,*
en garniture

Pour 6 personnes

1

Rincez les morceaux de poulet sous l'eau froide et séchez dans du papier absorbant. Saupoudrez légèrement de sel et de paprika.

2

Chauffez l'huile et le beurre dans une grande casserole à fond épais. Mettez le poulet à dorer sur toutes les faces. Retirez-les à l'aide d'une pince articulée et réservez.

3

Sur feu doux, dans la même casserole, faites cuire les oignons et le poivron 8 à 10 min, jusqu'à ce qu'ils soient tendres. Incorporez les tomates, le vin, le bouillon ou l'eau, le persil et les sauces. Portez à ébullition.

4

Remettez le poulet dans la casserole en l'enfonçant dans la sauce. Couvrez, baissez le feu et laissez frémir 30 min, en remuant de temps en temps.

5

Ajoutez le maïs et les fèves, mélangez bien. Couvrez partiellement et laissez cuire encore 30 min. Écumez la graisse en surface.

6

Mélangez la farine avec un peu d'eau. Ajoutez peu à peu 20 cl du liquide bouillant de la casserole. Versez ce mélange dans le ragoût, salez et poivrez. Laissez cuire encore 5 à 8 min, en remuant de temps en temps. Garnissez de persil et servez.

Gratin de poulet aux champignons

Quoi de plus appétissant que ce gratin à la délectable garniture recouverte d'une couronne de scones !
Les champignons lui donnent un parfum incomparable.

INGRÉDIENTS

* 4 cuil. à soupe d'huile de tournesol
* 1 oignon haché
* 1 branche de céleri émincée
* 1 petite carotte épluchée
  et coupée en rondelles
* 3 blancs de poulet sans la peau
* 500 g d'un mélange de champignons
  sauvages et de Paris, émincés
* 40 g de farine
* 50 cl de bouillon de poulet bouillant
* 2 cuil. à café de moutarde forte
* 2 cuil. à soupe de xérès demi-sec
* 2 cuil. à café de vinaigre de vin
* sel et poivre noir du moulin

Pour la couronne de scones
* 300 g de farine avec levain incorporé
* 1 pincée de sel de céleri
* 1 pincée de poivre de Cayenne
* 125 g de beurre coupé en dés
* 50 g de cheddar ou de gruyère, râpé
* 15 cl d'eau froide
* 1 œuf battu, pour dorer

Pour 4 personnes

1

Préchauffez le four à 200 °C (th. 7). Chauffez l'huile dans une grande casserole à fond épais et mettez à cuire 8 à 10 min l'oignon, le céleri et la carotte, sans les laisser colorer. Détaillez le poulet en dés, ajoutez-les dans la casserole et faites sauter rapidement. Incorporez les champignons puis, lorsque leur eau est sortie, la farine.

2

Retirez la casserole du feu et versez peu à peu le bouillon. Remettez sur feu doux et laissez épaissir en remuant constamment. Incorporez la moutarde, le xérès, le vinaigre, du sel et du poivre.

3

Préparez les scones. Mélangez dans une jatte ou un mixer la farine, le sel de céleri et le poivre de Cayenne. Incorporez le beurre et la moitié du fromage, fouettez ou mixez jusqu'à obtenir un mélange ressemblant à de la grosse chapelure. Versez l'eau et mélangez brièvement la pâte.

4

Sur le plan de travail fariné, formez une boule de pâte et étalez-la sur une épaisseur de 1 cm. Découpez des ronds de 5 cm à l'emporte-pièce (ou avec un verre).

5

Versez le mélange de poulet dans une terrine de 1,25 l et disposez les ronds de pâte sur tout le pourtour. Badigeonnez d'œuf battu, saupoudrez du reste de fromage et faites cuire 25 à 30 min au four, jusqu'à ce que les scones soient gonflés et dorés.

Poulet au gin à la prunelle et au genièvre

*Le genièvre est l'un des ingrédients du gin et ce plat est parfumé à la fois
par du genièvre et par du gin à la prunelle. Ce gin au merveilleux parfum
est très simple à faire, mais vous pouvez aussi l'acheter tout prêt.*

INGRÉDIENTS

* *30 g de beurre*
* *2 cuil. à soupe d'huile de tournesol*
* *8 blancs de poulet sans la peau*
* *400 g de carottes cuites*
* *1 gousse d'ail écrasée*
* *1 cuil. à soupe de persil haché*
* *6 cl de bouillon de poulet*
* *6 cl de vin rouge*
* *6 cl de gin à la prunelle*
* *1 cuil. à café de baies de genièvre écrasées*
* *sel et poivre*
* *1 bouquet de basilic, pour décorer*

Pour 8 personnes

1

Faites fondre le beurre avec l'huile dans une poêle et mettez à dorer les blancs de poulet sur tous les côtés.

2

Dans le bol d'un mixer, réduisez tous les autres ingrédients, excepté le basilic, en une sauce lisse. Si elle est trop épaisse, ajoutez un peu de vin rouge ou d'eau.

3

Transférez les blancs de poulet dans une casserole, arrosez-les de sauce et laissez-les cuire complètement, environ 15 min. Rectifiez l'assaisonnement et servez décoré de feuilles de basilic hachées.

Filets de dinde aux pommes et au laurier

Les pommes du verger se mêlent au laurier et au madère pour donner
ce délicieux ragoût de dinde, avec sa garniture de pommes flambées.

INGRÉDIENTS

* 80 g de beurre
* 700 g d'escalopes de dinde
coupées en filets de 2 cm d'épaisseur
* 4 pommes à cuire pelées
et coupées en tranches
* 3 feuilles de laurier
* 6 cuil. à soupe de madère
* 15 cl de bouillon de poulet
* 2 cuil. à café de Maïzena
* 15 cl de crème épaisse
* sel et poivre noir du moulin

Pour 4 personnes

1

Préchauffez le four à 180 °C (th. 6). Mettez 1/3 du beurre dans une grande sauteuse et faites dorer les filets de dinde sur tous les côtés. Transférez dans une cocotte, ajoutez la moitié du beurre restant et la moitié des pommes. Laissez cuire 1 à 2 min à feu doux.

2

Glissez les feuilles de laurier parmi les filets de dinde. Ajoutez 4 cuil. à soupe de madère et le bouillon de poulet. Laissez frémir 3 à 4 min, puis couvrez et faites cuire 40 min au four.

3

Faites une pâte avec la Maïzena et un peu de crème, puis ajoutez le reste de crème. Versez dans la cocotte, assaisonnez, mélangez et remettez à cuire 10 min au four, afin que la sauce épaississe.

4

Préparez la garniture. Avec le reste du beurre, faites dorer à feu doux dans une poêle les tranches de pommes restantes, jusqu'à ce qu'elles soient juste cuites. Ajoutez le reste du madère et flambez. Quand les flammes sont éteintes, laissez bien dorer les pommes. Disposez sur la dinde.

Dinde rôtie farcie aux champignons

Une dinde fermière farcie de champignons sauvages est délicieuse.
Cette sauce aux champignons des bois accentue encore son parfum.

INGRÉDIENTS

* 1 dinde fermière de 5 kg,
  poids prêt à cuire
* beurre pour arroser
* sel et poivre noir du moulin
* cresson, pour décorer

Pour la farce aux champignons
* 50 g de beurre
* 1 oignon haché
* 250 g de champignons sauvages hachés
* 100 g de chapelure blanche fraîche
* 150 g de saucisses, peau retirée
* 1 petite truffe fraîche émincée
  (facultatif)
* 5 gouttes de jus de truffe (facultatif)
* sel et poivre noir du moulin

Pour la sauce
* 5 cuil. à soupe de xérès demi-sec
* 40 cl de bouillon de poulet
* 4 cuil. à café de Maïzena
* 1 cuil. à café de moutarde forte
* 2 cuil. à soupe d'eau
* 1/2 cuil. à café de vinaigre de vin rouge

Pour 6 à 8 personnes

1

Préchauffez le four à 220 °C (th. 8). Préparez la farce. Mettez le beurre dans une casserole et faites cuire l'oignon sans le colorer. Ajoutez les champignons et remuez jusqu'à ce qu'ils perdent leur eau. Versez le mélange dans une jatte et incorporez le reste des ingrédients, dont la truffe et le jus de truffe si vous les utilisez. Assaisonnez et mélangez bien.

2

À l'aide d'une cuillère, remplissez de farce la cavité du cou de la dinde et fermez par une pique en bois, en rabattant la peau sur le dessous.

3

Frottez la peau de la dinde avec du beurre, salez et poivrez, placez-la dans un grand plat à rôtir et cuisez 50 min au four. Baissez la température à 180 °C (th. 6), puis laissez cuire encore 2 h 30 en arrosant souvent.

4

Posez la dinde sur une planche à découper, recouvrez de papier d'aluminium pour la garder au chaud. Dégraissez le jus de cuisson, puis placez le plat sur feu moyen pour faire évaporer le liquide. Ajoutez le xérès, grattez les résidus, puis incorporez le bouillon de poulet.

5

Dans un petit bol, mélangez la Maïzena et la moutarde avec l'eau et le vinaigre. Versez dans le plat de cuisson, mélangez et laissez épaissir la sauce sur feu doux. Assaisonnez et incorporez 1 noix de beurre. Décorez la dinde avec du cresson. Servez la sauce en saucière.

Cassoulet paysan

Le cassoulet est certainement le plat le plus typique de la cuisine de terroir.

INGRÉDIENTS

* 700 g de haricots blancs secs
* 1 kg de poitrine de porc,
  salée de préférence
* 4 magrets de canard
* 4 cuil. à soupe d'huile d'olive
* 2 oignons hachés
* 6 gousses d'ail écrasées
* 2 feuilles de laurier
* 1 à 2 pincées de clous de girofle
  en poudre
* 4 cuil. à soupe de purée de tomates
* 8 bonnes saucisses
* 4 tomates pelées et coupées en morceaux
* 80 g de chapelure blanche
  faite avec du pain de la veille
* sel et poivre noir du moulin

Pour 6 à 8 personnes

1

Mettez les haricots dans une grande jatte et recouvrez d'une grande quantité d'eau froide. Laissez tremper toute la nuit. Si la poitrine de porc est salée, faites-la tremper également toute la nuit.

2

Égouttez les haricots et mettez-les dans une grande casserole. Recouvrez d'eau froide. Couvrez et portez à ébullition. Faites bouillir 10 min à gros bouillons. Égouttez et réservez les haricots.

3

Égouttez la poitrine de porc si besoin et coupez-la en gros morceaux, en retirant la couenne. Coupez les magrets de canard en deux. Chauffez 2 cuillerées à soupe d'huile dans une poêle et faites dorer le porc en plusieurs fois.

CONSEIL
Vous pouvez changer les proportions ainsi que les types de viandes et de légumes du cassoulet. Utilisez par exemple des navets, des carottes et du céleri. L'agneau et l'oie coupés en morceaux peuvent remplacer le porc et le canard.

4

Mettez les haricots dans une grande casserole à fond épais avec les oignons, l'ail, le laurier, la poudre de clous de girofle et la purée de tomates. Ajoutez le porc sauté et recouvrez juste d'eau. Portez à ébullition, puis laissez frémir 1 h 30 à feu doux, sous couvercle, jusqu'à ce que les haricots soient tendres.

5

Préchauffez le four à 180 °C (th. 6). Chauffez le reste de l'huile dans une poêle, faites dorer les magrets et les saucisses. Coupez les saucisses en morceaux. Versez les haricots dans une grande cocotte. Ajoutez les saucisses, les magrets et les tomates en morceaux, salez et poivrez.

6

Saupoudrez de chapelure. Laissez cuire 45 min à 1 h au four, afin que la croûte soit dorée. Servez brûlant.

Magrets de canard épicés aux prunes rouges

Les prunes donnent une saveur aigre-douce à la chair tendre des magrets de canard.

INGRÉDIENTS

* 4 magrets de canard,
de 180 g chacun, sans la peau
* 2 cuil. à café de cannelle en bâton,
écrasée ou râpée
* 50 g de beurre
* 1 cuil. à soupe de cognac
* 25 cl de bouillon de poulet
* 25 cl de crème épaisse
* 6 prunes rouges fraîches, dénoyautées
et coupées en tranches
* 6 brins de coriandre,
plus quelques feuilles en garniture
* sel et poivre noir du moulin

Pour 4 personnes

1

Préchauffez le four à 190 °C (th. 6). Pratiquez plusieurs entailles sur les magrets et saupoudrez de sel. Pressez la cannelle des deux côtés des magrets. Faites fondre la moitié du beurre dans une poêle et dorez les magrets sur chaque face. Transférez-les dans un plat à four avec leur jus de cuisson et cuisez au four 6 à 7 min.

2

Retirez le plat du four et remettez son contenu dans la poêle. Ajoutez le cognac et flambez. Réservez les magrets au chaud sur le plat de service. Versez le bouillon et la crème dans la poêle et laissez frémir à feu doux, afin que la sauce réduise et épaississe. Rectifiez l'assaisonnement.

3

Réservez quelques tranches de prunes pour décorer. Mettez le reste du beurre dans une casserole pour y faire sauter les prunes et la coriandre, jusqu'à ce que les fruits soient cuits. Coupez les magrets en tranches fines ou laissez-les entiers. Entourez de sauce et garnissez de tranches de prunes et de coriandre hachée.

Ragoût de canard aux olives

*Dans cette recette traditionnelle de canard, la saveur salée des olives
est tempérée par la douceur sucrée des échalotes.*

INGRÉDIENTS

* 2 canards de 1,5 kg chacun environ,
coupés en morceaux, ou 8 cuisses de canard
* 250 g d'échalotes épluchées
* 2 cuil. à soupe de farine
* 40 cl de vin rouge sec
* 50 cl de bouillon de canard ou de poulet
* 1 bouquet garni
* 150 g d'olives vertes ou noires
dénoyautées, ou un mélange des deux
* sel et poivre noir du moulin

Pour 6 à 8 personnes

3

Ajoutez le vin, puis le canard, le bouillon et
le bouquet garni. Assaisonnez. Portez à ébullition, baissez le feu, couvrez et laissez frémir
40 min, en mélangeant de temps à autre.

4

Lavez les olives à l'eau froide, dans plusieurs
eaux. Si elles sont très salées, portez-les à
ébullition dans une casserole remplie d'eau,
puis égouttez et rincez. Ajoutez les olives
dans la cocotte et faites cuire encore 20 min
afin que le canard soit très tendre.

5

Réservez le canard, les échalotes et les olives
dans un plat. Passez le liquide de cuisson,
dégraissez-le et reversez-le dans la cocotte.
Faites bouillir pour le réduire d'1/3 environ.
Vérifiez l'assaisonnement, puis remettez le
canard et les légumes dans la cocotte. Laissez
mijoter quelques minutes pour réchauffer le
tout. Servez.

1

Mettez les morceaux de canard, peau en dessous, dans une grande poêle. Faites bien dorer
10 à 12 min à feu moyen, puis retournez pour
saisir l'autre face. Cuisez-les en plusieurs fois
si nécessaire.

2

Versez 1 cuil. à soupe de la graisse rendue
dans une grande cocotte. Sur feu moyen, mettez à revenir les échalotes, en remuant fréquemment. Saupoudrez de farine et laissez
cuire encore 2 min, en remuant plusieurs fois.

Ragoût de canard aux marrons

Servez ce ragoût avec une purée de pommes de terre et de céleri
qui s'imprégnera de sa sauce généreuse.

INGRÉDIENTS

* 1 canard de 1,8 kg environ
* 3 cuil. à soupe d'huile d'olive
* 200 g de petits oignons
* 50 g de champignons sauvages
* 50 g de champignons shiitake
* 30 cl de vin rouge
* 30 cl de bouillon de poulet
* 250 g de marrons au naturel en boîte, égouttés
* sel et poivre noir du moulin

Pour 4 à 6 personnes

1

Découpez le canard en 8 morceaux. Chauffez l'huile dans une grande poêle et faites-le dorer. Retirez de la poêle.

2

Mettez les oignons à revenir 10 min dans la même poêle.

3

Ajoutez les champignons et laissez cuire encore quelques minutes. Déglacez la poêle avec le vin rouge, puis laissez bouillir pour réduire de moitié. Pendant ce temps, préchauffez le four à 180 °C (th. 6).

4

Versez le bouillon de poulet dans une cocotte. Ajoutez le canard, les marrons et le contenu de la poêle, assaisonnez. Laissez cuire au four 1 h 30.

Canard sauvage rôti, sauce aux champignons

Pendant la période de la chasse, on trouve du canard sauvage chez certains bouchers.
Sa saveur prononcée se marie bien avec les morilles séchées.

INGRÉDIENTS

* 2 canards sauvages de 1,2 kg environ
chacun, poids bardé et prêt à cuire
* 50 g de beurre
* 1 oignon émincé
* 1/2 branche de céleri émincée
* 1 petite carotte émincée
* 5 cuil. à soupe de madère ou de xérès
* 10 grosses morilles séchées
* 250 g de champignons sauvages émincés
* 60 cl de bouillon de poulet bouillant
* 1 brin de thym frais
* 2 cuil. à café de vinaigre de vin
* sel et poivre noir du moulin
* quelques brins de persil
et bâtonnets de carotte, en garniture

Pour 4 personnes

1

Préchauffez le four à 190 °C (th. 6). Salez et poivrez les canards. Mettez la moitié du beurre dans une sauteuse et faites dorer 5 min l'oignon, le céleri et la carotte. À l'aide d'une écumoire, transférez les légumes dans une cocotte allant au four et suffisamment grande pour contenir les canards côte à côte.

2

Mettez le reste du beurre dans la sauteuse. Quand il est chaud, faites dorer les canards. Transférez-les dans la cocotte. Versez le madère ou le xérès dans la sauteuse et portez à ébullition. Versez sur les canards. Faites-les cuire 40 min au four.

3

Enveloppez les champignons dans une mousseline. Mettez le bouillon de poulet et le thym dans la cocotte. Immergez la mousseline, couvrez et remettez au four encore 40 min.

4

Dressez les canards sur le plat de service et gardez au chaud. Réservez les champignons, retirez le thym de la cocotte et mixez les légumes. Ajoutez les champignons à la sauce obtenue. Versez le vinaigre, assaisonnez et réchauffez doucement. Garnissez les canards de persil et de bâtonnets de carottes. Servez avec la sauce aux champignons.

Pintade au chou

Vous pouvez remplacer la pintade par du poulet ou, pour une recette plus campagnarde,
par du faisan, cousin éloigné de cette volaille.

INGRÉDIENTS

* 1 cuil. à soupe d'huile de tournesol
* 1 pintade de 1,2 à 1,4 kg, prête à cuire
* 1 noix de beurre
* 1 gros oignon émincé
* 1 grosse carotte émincée
* 1 gros poireau émincé
* 500 g de chou vert émincé ou haché
* 12 cl de vin blanc sec
* 12 cl de bouillon de poulet
* 1 à 2 gousses d'ail hachées
* sel et poivre noir du moulin

Pour 4 personnes

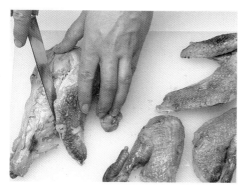

3

Posez la pintade sur un de ses flancs au-dessus des légumes. Assaisonnez. Versez le vin et portez à ébullition, puis ajoutez le bouillon et l'ail. Couvrez et mettez au four. Faites cuire 25 min, puis retournez la volaille sur l'autre flanc et laissez cuire encore 20 à 25 min, afin qu'elle soit tendre ; si vous piquez une cuisse avec un couteau, le jus doit sortir clair.

4

Posez la pintade sur la planche à découper et laissez-la reposer 5 à 10 min, puis coupez en 4 ou 8 morceaux. Sortez le chou avec une écumoire et dressez-le sur le plat de service chaud. Disposez les morceaux de pintade sur le chou. Dégraissez la sauce et servez-la en saucière.

1

Préchauffez le four à 180 °C (th. 6). Chauffez la moitié de l'huile dans une grande cocotte et faites dorer la pintade sur tous les côtés. Posez-la sur un plat.

2

Retirez la graisse de la cocotte, puis mettez le reste de l'huile et le beurre. Faites cuire l'oignon, la carotte et le poireau 5 min à feu doux, en remuant régulièrement. Ajoutez le chou et laissez cuire 3 à 4 min, afin qu'il fonde légèrement, en remuant de temps à autre. Salez et poivrez les légumes.

Faisans rôtis au porto

À la campagne, pendant la saison de la chasse, le faisan est un mets courant. Voici une excellente façon de le cuisiner.

INGRÉDIENTS

* *2 faisans de 700 g chacun, prêts à cuire*
* *50 g de beurre mou*
* *6 brins de thym frais*
* *2 feuilles de laurier*
* *6 tranches fines de lard fumé découenné*
* *1 cuil. à soupe de farine*
* *20 cl de bouillon de gibier ou de poulet (un peu plus si nécessaire)*
* *1 cuil. à soupe de gelée de groseilles*
* *3 à 4 cuil. à soupe de porto*
* *poivre noir du moulin*

Pour 4 personnes

1

Préchauffez le four à 230 °C (th. 8). Tapissez un grand plat à four avec une feuille de papier d'aluminium de taille suffisante pour envelopper les faisans. Badigeonnez-la d'huile.

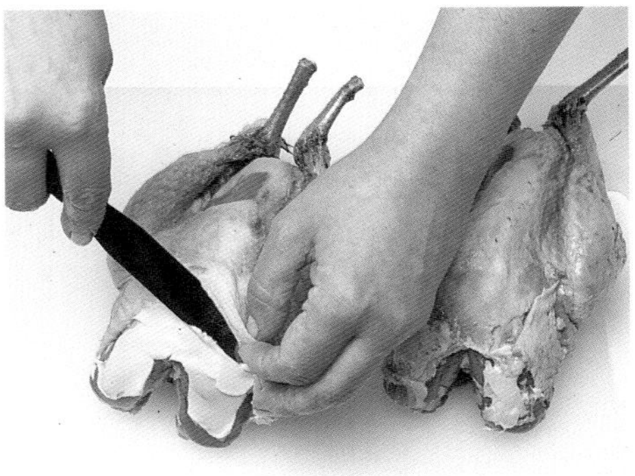

2

Essuyez les faisans avec un torchon humide et dégraissez-les au maximum. Avec les doigts, décollez la peau des filets. Étalez le beurre entre la peau et les filets. Ficelez les pattes, puis posez du thym et 1 feuille de laurier sur la poitrine de chaque faisan.

3

Couvrez la poitrine de lard, mettez les faisans dans le plat préparé et poivrez. Enveloppez-les dans le papier d'aluminium. Mettez au four 20 min, puis baissez la température à 190 °C (th. 6) et laissez cuire encore 40 min.

4

Découvrez les faisans et laissez-les cuire encore 10 à 15 min. Posez-les sur une planche et laissez-les reposer 10 min avant de les découper.

5

Dégraissez le plat à four et versez le jus rendu dans une casserole. Saupoudrez de farine et fouettez sur feu moyen, afin d'obtenir une sauce lisse. Incorporez le bouillon et la gelée de groseilles, puis portez à ébullition. Laissez épaissir à feu doux, incorporez le porto et vérifiez l'assaisonnement. Passez et servez avec les faisans.

Faisans braisés aux cèpes et aux marrons

En fin de saison, les faisans sont souvent un peu fermes et il vaut mieux les braiser.
Essayez cette délicieuse recette aux champignons sauvages et aux marrons.

INGRÉDIENTS

* *2 faisans adultes*
* *50 g de beurre*
* *5 cuil. à soupe de cognac*
* *12 oignons grelots épluchés*
* *1 branche de céleri coupée en morceaux*
* *50 g de lard frais coupé en tranches fines*
* *3 cuil. à soupe de farine*
* *50 cl de bouillon de poulet bouillant*
* *200 g de marrons épluchés*
* *350 g de cèpes frais ou d'autres champignons sauvages, nettoyés et émincés, ou bien 15 g de cèpes séchés, trempés 20 min dans de l'eau chaude*
* *1 cuil. à soupe de jus de citron*
* *sel et poivre noir du moulin*
* *quelques brins de cresson, en garniture*

Pour 4 personnes

2

Faites dorer les oignons, le céleri et le lard avec le reste du beurre dans la cocotte. Ajoutez la farine, laissez cuire 1 min et incorporez peu à peu le bouillon. Ajoutez les marrons et les champignons, remettez les faisans et leur jus. Portez à ébullition, couvrez et faites cuire au four 1 h 30.

3

Dressez les faisans et les légumes sur le plat de service. Dégraissez la sauce, portez à ébullition, ajoutez le jus de citron et assaisonnez. Versez la sauce en saucière et garnissez les faisans de cresson.

1

Préchauffez le four à 170 °C (th. 5). Assaisonnez les faisans de sel et de poivre. Mettez la moitié du beurre dans une grande cocotte et faites dorer les faisans. Transférez-les dans un plat peu profond. Jetez la graisse de cuisson et remettez la cocotte sur le feu. Grattez les résidus en les laissant dorer. Versez le cognac et flambez en prenant garde à vous (les flammes s'éteignent très vite). Raclez pour délayer les résidus et versez le tout sur les faisans.

Feuilleté au pigeon

*Plat traditionnel, à base de pâte filo enveloppant une garniture
de pigeon, d'œufs, d'épices et d'amandes. Un poulet peut remplacer les pigeons.*

INGRÉDIENTS

* 3 pigeons
* 50 g de beurre
* 1 oignon haché
* 1 bâton de cannelle
* 1/2 cuil. à café de gingembre en poudre
* 2 cuil. à soupe de coriandre fraîche hachée
* 3 cuil. à soupe de persil frais haché
* 1 pincée de curcuma
* 1 cuil. à soupe de sucre en poudre
* 2 pincées de cannelle en poudre
* 125 g d'amandes grillées hachées
* 6 œufs battus
* sel et poivre noir du moulin
* cannelle et sucre glace, pour décorer

Pour le feuilletage
* 180 g de beurre fondu
* 16 feuilles de pâte filo (épiceries grecques)
ou de pâte à rouleaux de printemps
* 1 jaune d'œuf

Pour 6 personnes

1

Lavez les pigeons et mettez-les dans une casserole à fond épais avec le beurre, l'oignon, le bâton de cannelle, le gingembre, la coriandre, le persil et le curcuma. Salez et poivrez. Recouvrez juste d'eau et portez à ébullition. Baissez le feu, couvrez et laissez mijoter 1 h, afin que les pigeons soient très tendres.

2

Passez le bouillon et réservez-le. Ôtez la peau des pigeons, désossez-les et détaillez la chair en petits morceaux. Préchauffez le four à 180 °C (th. 6). Mélangez le sucre, la cannelle et les amandes dans un bol.

3

Mettez 15 cl du bouillon réservé dans une petite casserole. Ajoutez les œufs et mélangez bien. Posez sur feu doux en tournant jusqu'à obtention d'une sauce crémeuse et très épaisse, presque prise. Salez et poivrez. Réservez.

4

Confectionnez le feuilletage. Beurrez un plat à four de 30 cm avec une partie du beurre fondu et tapissez d'1 feuille de pâte filo. Badigeonnez de beurre et continuez de même avec 5 autres feuilles. Recouvrez du mélange d'amandes, puis de la moitié de la sauce aux œufs. Mouillez avec un peu de bouillon.

5

Posez encore 4 feuilles de pâte filo, en les badigeonnant toujours de beurre. Mettez la chair de pigeon sur la dernière, ajoutez le reste de sauce aux œufs et mouillez avec du bouillon. Couvrez des feuilles de pâte filo restantes, en badigeonnant chacune de beurre et en rentrant ce qui dépasse.

6

Dorez le feuilleté au jaune d'œuf et faites-le cuire 40 min au four. Montez la température à 200 °C (th. 7), puis laissez cuire encore 15 min, afin que la pâte soit croustillante et dorée. Décorez de cannelle et de sucre glace en croisillons. Servez très chaud.

Sauté de lapin

Le lapin est très utilisé dans la cuisine de terroir.
En ville, prenez de préférence un lapin fermier et faites-le découper.

INGRÉDIENTS

* 800 g de morceaux de lapin
* 30 cl de vin blanc
* 1 cuil. à soupe de vinaigre de xérès
* brins d'origan frais
* 2 feuilles de laurier
* 1 piment rouge frais
* 6 cuil. à soupe d'huile d'olive
* 200 g d'oignons grelots ou d'échalotes, épluchés
* 4 gousses d'ail émincées
* 2 cuil. à café de paprika
* 15 cl de bouillon de poulet
* sel et poivre noir du moulin
* quelques feuilles de persil plat, pour décorer

Pour 4 personnes

1

Mettez le lapin dans une jatte. Ajoutez le vin, le vinaigre, l'origan et le laurier et mélangez bien. Couvrez et laissez mariner plusieurs heures ou toute la nuit.

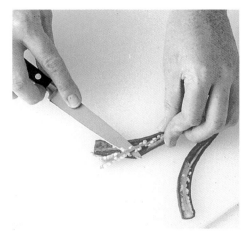

2

Retirez les graines du piment et hachez-le. Réservez. Égouttez les morceaux de lapin, essuyez-les avec du papier absorbant, réservez la marinade. Mettez l'huile dans une grande poêle et faites dorer les morceaux de lapin de tous côtés. Retirez-les avec une écumoire. Mettez à revenir les oignons jusqu'à ce qu'ils commencent à colorer.

CONSEIL
Vous pouvez également cuire ce sauté au four, à 180 °C (th. 6), pendant 50 min environ.

3

Retirez les oignons de la poêle, ajoutez le piment, l'ail et le paprika. Laissez cuire 1 min en remuant. Ajoutez la marinade réservée, ainsi que le bouillon de poulet. Assaisonnez légèrement.

4

Remettez le lapin dans la poêle avec les oignons. Portez à ébullition, baissez le feu, couvrez, puis laissez frémir 45 min, jusqu'à ce que le lapin soit tendre. Servez décoré de quelques feuilles de persil plat.

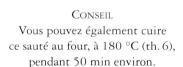

Ragoût de lapin au thym

Le lapin, toujours très apprécié dans les fermes et les petits restaurants de campagne,
est souvent cuisiné comme du poulet.

INGRÉDIENTS

* 40 g de farine
* 1 lapin de 1,2 kg coupé en 8 morceaux
* 1 noix de beurre
* 1 cuil. à soupe d'huile d'olive
* 25 cl de vin rouge
* 40 cl de bouillon de poulet
* 1 cuil. à soupe de feuilles de thym frais
* 1 feuille de laurier
* 2 gousses d'ail finement hachées
* 2 à 3 cuil. à café de moutarde forte
* sel et poivre noir du moulin

Pour 4 personnes

1
_____

Mettez la farine dans un sac en plastique avec du sel et du poivre. Farinez les morceaux de lapin un par un, en les secouant dans le sac. Tapotez pour enlevez la farine en excès.

2
_____

Mettez le beurre et l'huile dans une cocotte et faites bien dorer les morceaux de lapin.

3
_____

Versez le vin et faites bouillir 1 min. Versez suffisamment de bouillon de poulet pour recouvrir la viande. Ajoutez les herbes et l'ail. Couvrez et laissez frémir 1 h à feu doux.

4
_____

Incorporez la moutarde. Disposez les morceaux de lapin sur le plat de service. Assaisonnez la sauce et passez-la sur le lapin.

Parmentier de gibier

Plat nourrissant associant du gibier en sauce à de la purée de pommes de terre et de panais.

INGRÉDIENTS

* *3 cuil. à soupe d'huile de tournesol*
* *1 oignon haché*
* *1 gousse d'ail écrasée*
* *3 tranches minces de lard fumé découenné, coupé en morceaux*
* *700 g de viande de gibier hachée*
* *150 g de champignons de Paris hachés*
* *2 cuil. à soupe de farine*
* *50 cl de bouillon de bœuf*
* *15 cl de porto*
* *2 feuilles de laurier*
* *1 cuil. à café de thym frais effeuillé*
* *1 cuil. à café de moutarde forte*
* *1 cuil. à café de gelée de groseilles*
* *700 g de pommes de terre épluchées et coupées en gros morceaux*
* *500 g de panais (ou navets) épluchés et coupés en gros morceaux*
* *1 jaune d'œuf*
* *50 g de beurre*
* *muscade râpée*
* *3 cuil. à soupe de persil frais haché*
* *sel et poivre noir du moulin*

Pour 4 personnes

_____
2

Préchauffez le four à 200 °C (th. 7). Portez une casserole d'eau légèrement salée à ébullition et faites bouillir les pommes de terre et les panais 20 min, jusqu'à ce qu'ils soient bien cuits. Égouttez et passez en purée. Ajoutez en fouettant le jaune d'œuf, le beurre, la muscade et le persil haché. Salez et poivrez.

_____
3

Versez le mélange de viande dans un grand plat à gratin. Lissez la surface. Étalez la purée de pommes de terre et de panais sur la viande et faites cuire 30 à 40 min au four, jusqu'à ce que le dessus soit doré. Servez aussitôt.

_____
1

Dans une poêle huilée, faites sauter 5 min dans l'oignon, l'ail et le lard. Mettez la viande et les champignons à dorer quelques minutes, en remuant. Ajoutez la farine et faites cuire 1 à 2 min. Incorporez le bouillon, le porto, les herbes, la moutarde et la gelée de groseilles. Assaisonnez, portez à ébullition, couvrez, puis laissez frémir 30 à 40 min, afin que la viande soit tendre.

Viandes

Dans toutes les fermes du monde le repas
principal comporte de la viande. Si les rôtis consistants,
les pains de viande, les tourtes et les pâtés sont
souvent au menu, les plats en cocotte restent les préférés.
Mijotée pendant des heures dans une sauce généreuse
aromatisée de vin, d'herbes et de légumes aux senteurs
puissantes, la viande se transforme en un régal
fondant. Ce chapitre vous offre de chaleureuses
recettes convenant à toutes les occasions.

Ragoût d'agneau aux légumes

*Ce ragoût rustique est un mélange d'agneau et de tendres légumes de printemps :
carottes, pommes de terre nouvelles, petits pois, haricots verts et navets.*

INGRÉDIENTS

* 4 cuil. à soupe d'huile de tournesol
* 1,5 kg d'épaule d'agneau, parée et coupée en morceaux de 5 cm
* 12 cl d'eau
* 3 à 4 cuil. à soupe de farine
* 1 l de bouillon d'agneau
* 1 gros bouquet garni
* 3 gousses d'ail à peine écrasées
* 3 tomates mûres pelées, épépinées et coupées en morceaux
* 1 cuil. à café de purée de tomates
* 800 g de petites pommes de terre, épluchées ou grattées
* 150 g de haricots verts coupés en morceaux de 5 cm

* 12 petites carottes grattées
* 1 grosse noix de beurre
* 12 à 18 petits oignons blancs ou échalotes, épluchés
* 6 navets moyens coupés en morceaux
* 2 cuil. à soupe de sucre en poudre
* 2 pincées de thym séché
* 200 g de petits pois écossés
* 50 g de pois mange-tout
* sel et poivre noir du moulin
* 3 cuil. à soupe de persil frais haché ou de coriandre, en garniture

Pour 6 personnes

1

Chauffez la moitié de l'huile dans une grande poêle à fond épais. Faites dorer l'agneau en plusieurs fois, en ajoutant un peu d'huile si nécessaire, puis mettez-le dans une grande cocotte. Versez 3 cuillerées à soupe d'eau dans la poêle et faites bouillir 1 min, en grattant les résidus, puis transférez le jus obtenu dans la cocotte.

2

Saupoudrez la viande de farine et posez la cocotte sur feu moyen. Laissez cuire 3 à 5 min afin que la farine roussisse. Incorporez le bouillon, le bouquet garni, l'ail, les tomates et la purée de tomates. Salez et poivrez.

3

Portez à ébullition sur feu vif. Écumez, baissez le feu et laissez frémir 1 h, en remuant de temps en temps, jusqu'à ce que la viande soit tendre. Laissez refroidir, couvrez et mettez au frais toute la nuit.

4

Environ 1 h 30 avant de servir, retirez la cocotte du réfrigérateur, raclez la graisse figée en surface et épongez avec du papier absorbant pour en retirer toute trace. Posez la cocotte sur feu moyen, puis portez à petite ébullition. Pendant ce temps, faites cuire les pommes de terre 15 à 20 min à l'eau bouillante salée, mettez-les dans un saladier. Cuisez les carottes de la même façon pendant 4 à 5 min, puis ajoutez-les aux pommes de terre. Faites bouillir les haricots verts 2 à 3 min et mettez-les avec les légumes précédents.

5

Faites fondre le beurre dans une poêle à fond épais, ajoutez les oignons et les navets avec 3 cuillerées à soupe d'eau. Couvrez et laissez cuire 4 à 5 min. Incorporez le sucre et le thym et laissez caraméliser les légumes. Transférez-les dans le saladier. Versez le reste de l'eau dans la poêle, faites bouillir 1 min en grattant les résidus et nappez-en l'agneau.

6

Quand l'agneau et sa sauce sont chauds, versez les légumes cuits dans la cocotte et mélangez avec précaution. Ajoutez les petits pois et les mange-tout, laissez cuire 5 min, puis saupoudrez de 2 cuillerées à soupe de persil ou de coriandre. Dressez le ragoût dans un grand plat de service chaud. Parsemez du reste du persil ou de coriandre et servez.

Gigot rôti farci aux champignons

En retirant l'os de la cuisse vous obtiendrez un creux pouvant accueillir une farce de champignons.
Ce gigot est un régal pour un déjeuner ou un dîner.

INGRÉDIENTS

* 1 gigot d'agneau de 1,8 kg désossé
* cresson, en garniture

Pour la farce aux champignons
* 1 grosse noix de beurre
* 1 échalote ou 1 petit oignon haché
* 250 g d'un mélange de champignons sauvages et cultivés
* 1/2 gousse d'ail écrasée

* 1 brin de thym frais effeuillé
* 25 g de mie de pain coupée en dés
* 2 jaunes d'œufs
* sel et poivre noir du moulin

Pour la sauce aux champignons
* 4 cuil. à soupe de vin rouge
* 40 cl de bouillon de poulet bouillant
* 4 cuil. à café de Maïzena

* 2 cuil. à café de cèpes séchés, trempés 20 min dans de l'eau bouillante
* 1 cuil. à café de moutarde forte
* 1 cuil. à soupe d'eau
* 1/2 cuil. à café de vinaigre de vin
* 1 noix de beurre
* sel et poivre noir du moulin

Pour 4 personnes

1

Préchauffez le four à 200 °C (th. 7). Préparez la farce. Mettez le beurre dans une grande poêle antiadhésive et faites cuire l'échalote ou l'oignon à feu doux, sans les colorer. Ajoutez les champignons, l'ail et le thym. Remuez jusqu'à ce que les champignons rendent leur eau, puis laissez-la s'évaporer à feu vif.

2

Transférez la préparation aux champignons dans une jatte, ajoutez la mie de pain et les jaunes d'œufs. Salez, poivrez et mélangez bien. Laissez refroidir légèrement.

3

Assaisonnez la cavité laissée par l'os du gigot et introduisez la farce. Fermez avec une ficelle et ficelez le gigot pour qu'il ne perde pas sa forme.

4

Mettez le gigot dans un plat à rôtir. Faites cuire au four 15 min par livre (saignant) ou 20 min par livre (à point). Un gigot de 1,8 kg sera cuit à point en 1 h 20.

5

Posez le gigot sur un plat de service chaud. Pour la sauce, dégraissez le jus du plat à rôtir et faites dorer les résidus sur feu moyen. Ajoutez le vin, le bouillon de poulet et les champignons séchés avec leur liquide de trempage.

6

Mélangez la Maïzena et la moutarde dans un bol, délayez avec l'eau. Versez dans la sauce et laissez épaissir. Ajoutez le vinaigre, assaisonnez, puis incorporez le beurre. Garnissez le gigot de cresson et servez, avec la sauce à part.

Côtes d'agneau à la menthe et au citron

L'agneau et la menthe forment depuis toujours une délicieuse association.

INGRÉDIENTS

* 8 côtes filet d'agneau de 200 g chacune
* le zeste râpé et le jus d'1 citron
* 2 gousses d'ail épluchées et écrasées
* 2 ciboules hachées
* 2 cuil. à café de menthe fraîche hachée, plus quelques feuilles en garniture
* 4 cuil. à soupe d'huile d'olive vierge
* sel et poivre noir du moulin

Pour 8 personnes

1

2

Préparez la marinade. Mélangez tous les ingrédients sauf la viande, assaisonnez à votre goût. Mettez les côtes filet dans un plat peu profond et recouvrez de marinade. Laissez toute la nuit au réfrigérateur.

Faites griller les côtes d'agneau à feu vif, jusqu'à ce qu'elles soient à point, en les arrosant de marinade au cours de la cuisson. Retournez-les à mi-cuisson. Servez-les garnies de feuilles de menthe fraîche.

Agneau en croûte, sauce aux poires, au gingembre et à la menthe

Recette de la cuisine perse traditionnelle, où l'agneau se marie avec les poires.

INGRÉDIENTS

* 1 kg d'épaule d'agneau désossée
* sel et poivre noir du moulin
* 8 grandes feuilles de pâte filo (épiceries grecques)
* 1 grosse noix de beurre fondu
* 2 cuil. à café de menthe fraîche finement hachée

Pour la farce
* 1 noix de beurre

* 1 petit oignon haché
* 150 g de chapelure
* le zeste râpé d'1 citron
* 1 boîte de 400 g de poires dans leur jus
* 2 pincées de gingembre en poudre
* 1 petit œuf battu

Pour 6 personnes

1

Préparez la farce. Chauffez le beurre dans une casserole pour y faire cuire l'oignon. Préchauffez le four à 180 °C (th. 6). Transférez l'oignon dans une jatte et ajoutez la chapelure, le zeste, 175 g de poires et le gingembre. Assaisonnez et liez avec l'œuf battu.

2

Posez la viande à plat et assaisonnez-la. Couvrez le centre de farce et roulez avec soin. Maintenez le rôti à l'aide de brochettes pendant que vous le cousez avec de la ficelle fine et une grosse aiguille. Chauffez au four un grand plat à rôtir et mettez l'agneau à dorer lentement sur toutes les faces, pendant 20 à 30 min. Laissez refroidir et gardez au réfrigérateur jusqu'à utilisation.

3

Préchauffez le four à 200 °C (th. 7). Badigeonnez 2 feuilles de pâte filo avec du beurre fondu. Superposez-les sur 15 cm environ pour former un carré. Posez les 2 feuilles suivantes sur ce carré et badigeonnez de beurre. Faites de même avec les feuilles restantes.

4

Posez l'épaule roulée en diagonale sur la pâte. Repliez un angle sur la viande, pliez les côtés et badigeonnez la pâte de beurre fondu. Repliez l'autre angle. Posez le tout, pâte repliée en dessous, sur une plaque à four beurrée et badigeonnez avec le reste du beurre fondu. Faites cuire 30 min au four, afin que la croûte soit bien dorée.

5

Mixez le reste des poires avec leur jus et la menthe hachée. Servez avec l'agneau.

145

Agneau aux poireaux, à la menthe et aux ciboules

Si vous ne disposez pas de bouillon de poulet fait maison,
prenez du bouillon en cube mais la saveur ne sera pas la même.

INGRÉDIENTS

* 2 cuil. à soupe d'huile de tournesol
* 2 kg d'agneau (filet ou gigot désossé)
  détaillé en dés
* 10 ciboules coupées en épaisses rondelles
* 3 poireaux coupés en épaisses rondelles
* 1 cuil. à soupe de farine
* 15 cl de vin blanc
* 30 cl de bouillon de poulet
* 1 cuil. à soupe de purée de tomates
* 1 cuil. à soupe de sucre en poudre
* sel et poivre noir du moulin
* 2 cuil. à soupe de feuilles de menthe
  hachées, plus quelques-unes en garniture
* 120 g de poires séchées
* 1 kg de pommes de terre épluchées
  et coupées en rondelles
* 30 g de beurre fondu

Pour 6 personnes

1

Chauffez l'huile dans une cocotte et faites sauter les dés d'agneau. Transférez dans un profond plat à gratin. Préchauffez le four à 180 °C (th. 6).

2

Faites sauter les ciboules et les poireaux 1 min dans la cocotte, saupoudrez de farine et laissez cuire encore 1 min. Versez le vin et le bouillon, portez à ébullition. Ajoutez la purée de tomates, le sucre, la menthe, les poires en morceaux, du sel et du poivre. Versez dans le plat à gratin. Couvrez de pommes de terre et badigeonnez de beurre fondu.

3

Couvrez et faites cuire au four 1 h 30. Montez ensuite la température à 200 °C (th. 7) et laissez cuire encore 30 min, à découvert, pour dorer les pommes de terre. Décorez de feuilles de menthe.

Saucisses en feuilleté

Les charcutiers de campagne offrent tout un choix de saucisses, délicieuses accompagnées, comme ici, d'une farce aux champignons sous un couvercle feuilleté.

* 50 g de beurre, plus un peu pour la plaque
* 1/2 gousse d'ail écrasée
* 1 cuil. à soupe de thym frais
* 500 g de champignons sauvages et cultivés assortis, émincés
* 50 g de chapelure blanche fraîche
* 5 cuil. à soupe de persil frais haché
* 350 g de pâte feuilletée
* 700 g de saucisses
* 1 œuf battu avec 1 pincée de sel
* sel et poivre noir du moulin

Pour 4 personnes

3

Pratiquez une série d'incisions dans la pâte, tous les 3 cm, de part et d'autre de la farce. Repliez les deux extrémités de pâte sur la farce, badigeonnez la pâte d'œuf battu, puis rabattez les bandes latérales sur la farce, en les alternant. Laissez reposer 40 min. Préchauffez le four à 180 °C (th. 6). Badigeonnez de nouveau le feuilleté d'œuf et faites-le cuire 1 h au four.

1

Mettez le beurre dans une grande poêle pour faire cuire l'ail, le thym et les champignons à feu doux, 5 à 6 min. Quand les champignons rendent leur eau, augmentez le feu afin de réduire le liquide, puis ajoutez la chapelure, le persil, du sel et du poivre.

2

Étalez la pâte feuilletée sur le plan de travail fariné en un rectangle de 35 × 25 cm. Posez sur une plaque à pâtisserie beurrée. Retirez la peau des saucisses. Couvrez de la moitié de la chair des saucisses une bande de 13 cm de large au centre de la pâte. Recouvrez de champignons, puis du reste de la chair.

Ragoût de porc aux haricots noirs

Quelques robustes ingrédients donnent à ce ragoût espagnol un délicieux parfum.

INGRÉDIENTS

* 300 g de haricots noirs,
qui ont trempé toute la nuit
* 800 g de poitrine de porc
coupée en tranches minces
* 4 cuil. à soupe d'huile d'olive
* 350 g d'oignons grelots
ou d'échalotes, épluchés
* 2 branches de céleri
coupées en tranches épaisses
* 2 cuil. à café de paprika
* 150 g de chorizo coupé en morceaux
* 60 cl de bouillon léger de poulet
ou de légumes
* 2 poivrons verts épépinés
et coupés en gros morceaux
* sel et poivre noir du moulin

Pour 5 à 6 personnes

 1

Préchauffez le four à 160 °C (th. 5). Égouttez les haricots, mettez-les dans une casserole et couvrez d'eau. Portez à ébullition et laissez bouillir 10 min à gros bouillons. Égouttez et réservez. Découennez la poitrine de porc et coupez-la en gros morceaux.

2

Chauffez l'huile dans une grande poêle et faites sauter 3 min les oignons et le céleri. Mettez le porc à dorer 5 à 10 min. Ajoutez le paprika et le chorizo et laissez cuire encore 2 min. Versez dans un plat à four, ajoutez les haricots et mélangez bien.

3

Portez le bouillon à ébullition dans la poêle. Assaisonnez, versez-le sur la viande et les haricots. Couvrez et faites cuire 1 h au four. Ajoutez les poivrons verts. Cuisez encore 15 min et servez chaud.

CONSEIL
Voici un ragoût de bonne composition qui s'accommode de tous les légumes d'hiver. Essayez-le avec des poireaux, des navets, du céleri-rave ou des petites pommes de terre.

Fricassée de porc aux saucisses

*Ce plat est dérivé d'une recette traditionnelle espagnole. Si vous ne trouvez pas
de saucisses butifarra, prenez des saucisses italiennes non épicées.*

INGRÉDIENTS

* 2 cuil. à soupe d'huile d'olive
* 4 côtes de porc dans l'échine
  (d'environ 180 g chacune)
* 4 saucisses butifarra ou italiennes,
  non épicées
* 1 oignon haché
* 2 gousses d'ail hachées
* 12 cl de vin blanc sec
* 4 tomates olivettes coupées en morceaux
* 1 feuille de laurier
* 2 cuil. à soupe de persil frais haché
* sel et poivre noir du moulin
* salade verte et pommes de terre au four,
  en accompagnement

Pour 4 personnes

CONSEIL
Les tomates cerise peuvent
remplacer les olivettes.

1

Chauffez l'huile dans une grande poêle. Faites
dorer les côtes de porc de chaque côté à feu
vif. Posez-les sur un plat.

2

Mettez les saucisses, l'oignon et l'ail à cuire
à feu moyen dans la poêle, jusqu'à ce que
les saucisses soient dorées et les oignons fondus. Retournez les saucisses 2 à 3 fois en cours
de cuisson. Remettez les côtes de porc dans
la poêle.

3

Incorporez le vin, les tomates et le laurier,
salez et poivrez. Ajoutez le persil. Couvrez la
poêle et laissez cuire 30 min.

4

Coupez les saucisses en tranches épaisses et
réchauffez-les dans la poêle. Servez chaud,
avec une salade verte et des pommes de terre
cuites au four.

Pâté en croûte campagnard

Pâté en croûte classique. Sa préparation est longue mais le résultat est délicieux.

INGRÉDIENTS

* 1 petit canard
* 1 petit poulet
* 350 g de poitrine de porc hachée
* 1 œuf légèrement battu
* 2 échalotes finement hachées
* 1/2 cuil. à café de cannelle en poudre
* 1/2 cuil. à café de muscade râpée
* 1 cuil. à café de sauce Worcester
* le zeste finement râpé d'1 citron
* 15 cl de vin rouge
* 200 g de jambon coupé en dés
* sel et poivre noir du moulin

Pour la gelée
* 2 carottes
* 1 oignon
* 2 branches de céleri
* 1 cuil. à soupe de vin rouge
* 1 feuille de laurier
* 1 clou de girofle
* 1 sachet de gélatine (environ 15 g)

Pour la pâte
* 230 g de margarine dure, plus un peu pour le moule
* 30 cl d'eau bouillante
* 700 g de farine
* 1 œuf légèrement battu avec 1 pincée de sel
* 1 pincée de sel

Pour 12 personnes

1

Dépecez le canard et le poulet crus, en retirant un maximum de chair. Jetez la peau et les tendons. Coupez en dés les blancs du canard et du poulet et réservez, ainsi que les os et parures.

2

Mélangez le reste de chair du canard et du poulet avec le porc haché, l'œuf, les échalotes, les épices, la sauce Worcester, le zeste de citron, du sel et du poivre. Ajoutez le vin rouge et laissez reposer 15 min.

3

Préparez la gelée. Mettez les os et les parures, les carottes, l'oignon, le céleri, le vin, le laurier et le clou de girofle dans une grande casserole et couvrez avec 3 l d'eau. Portez à ébullition, écumez, puis laissez frémir ce bouillon 2 h 30 à feu doux.

4

Préparez la pâte. Portez la margarine et l'eau à ébullition dans une casserole. Mélangez la farine et le sel et versez sur le liquide. Hors du feu, tournez à l'aide d'une cuillère en bois. Lorsque la pâte est suffisamment refroidie, pétrissez-la et laissez reposer dans un endroit chaud, sous un torchon, 20 à 30 min ou jusqu'à utilisation. Préchauffez le four à 200 °C (th. 7).

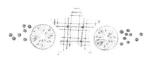
5

Graissez un moule à gâteau de 25 cm de diamètre, à fond amovible. Étalez les 2/3 de la pâte et tapissez-en le moule sans laisser de trous et en faisant dépasser la pâte sur les bords. Étalez la moitié du mélange à base de porc haché sur la pâte, ajoutez une couche de dés de canard, de poulet et de jambon. Terminez par le reste du porc haché. Badigeonnez la pâte qui dépasse avec de l'eau. Étalez la pâte restante et recouvrez-en les viandes. Soudez les bords. Faites 2 trous sur le dessus et décorez avec des restes de pâte.

6

Faites cuire au four 30 min. Badigeonnez le dessus avec l'œuf battu. Baissez le four à 180 °C (th. 6). Après 30 min, recouvrez le plat de papier d'aluminium pour l'empêcher de brûler et laissez cuire encore 1 h.

7

Au bout de 2 h 30 de cuisson, passez le bouillon. Laissez-le refroidir et retirez la graisse figée en surface. Mesurez 60 cl de bouillon. Chauffez-le à feu doux jusqu'au point d'ébullition et incorporez-lui la gélatine en fouettant. Ajoutez le reste du bouillon passé et laissez refroidir.

8

Quand le pâté est froid, posez un entonnoir dans l'un des trous et versez le plus de bouillon possible, il doit affleurer à ras de la croûte. Laissez reposer au moins 24 h avant de servir en tranches.

Daube de bœuf

Ce plat provençal, qui tire son nom de l'espagnol dobar *(« cuire à l'étouffée »),*
mijote longuement dans une cocotte en terre et gagne à être fait la veille.

INGRÉDIENTS

* 2 à 4 cuil. à soupe d'huile d'olive
* 250 g de poitrine de porc maigre salée
ou de lard fumé découenné, coupés en dés
* 1,8 kg de bœuf à braiser
coupé en morceaux de 10 cm
* 80 cl de vin rouge
* 4 carottes coupées en grosses rondelles
* 2 gros oignons grossièrement hachés
* 3 tomates, pelées, épépinées
et coupées en morceaux
* 1 cuil. à soupe de purée de tomates
* 2 à 4 gousses d'ail finement hachées
* 1 bouquet garni
* 1 cuil. à café de grains de poivre noir
* 1 petit oignon piqué
de 4 clous de girofle
* le zeste râpé et le jus d'1 orange
* 2 à 3 cuil. à soupe de persil haché
* sel et poivre noir du moulin

Pour 6 à 8 personnes

1

Chauffez 2 cuillerées à soupe d'huile d'olive
dans une grande poêle à fond épais et mettez
à cuire à feu moyen la poitrine de porc ou le
lard fumé, en remuant fréquemment, pour
faire sortir la graisse. Augmentez le feu et
laissez dorer encore 4 à 5 min. Transférez dans
une grande cocotte.

2

Mettez les morceaux de bœuf dans la poêle,
en une seule couche, et faites dorer de tous
côtés, 6 à 8 min, puis transférez-les dans la
cocotte. Faites dorer de même le reste de
la viande, en ajoutant éventuellement un
peu d'huile.

3

Ajoutez le vin et, si nécessaire, complétez
avec de l'eau pour recouvrir le bœuf et le lard.
Portez à ébullition à feu moyen, en retirant
l'écume avec une écumoire.

4

Ajoutez les carottes, les oignons, les tomates,
la purée de tomates, l'ail, le bouquet garni,
le poivre et l'oignon piqué de girofle. Couvrez
et laissez frémir 3 h à feu doux. Dégraissez.
Assaisonnez, jetez le bouquet garni et l'oignon, puis incorporez le zeste, le jus d'orange
et le persil.

Ragoût de bœuf aux haricots blancs

La cuisson à l'étouffée de ce ragoût donne une viande fondante et parfumée.

INGRÉDIENTS

* 250 g de haricots blancs secs, ayant trempé toute la nuit dans de l'eau
* 2 à 4 cuil. à soupe d'huile d'olive
* 10 petits oignons coupés en deux
* 2 carottes coupées en dés
* 1,5 kg de bœuf à braiser coupé en dés
* 6 petits œufs durs dans leur coquille
* 1 cuil. à café de paprika
* 1 cuil. à café de purée de tomates
* 60 cl d'eau ou de bouillon de bœuf, bouillant(e)
* sel et poivre noir du moulin

Pour 6 à 8 personnes

CONSEIL

Si vous disposez d'un autocuiseur, il ne sera pas nécessaire de rajouter du liquide.

3

Mettez le paprika et la purée de tomates dans la poêle, avec l'huile restante. Salez, poivrez et faites cuire 1 min. Ajoutez l'eau bouillante ou le bouillon en grattant les résidus et versez dans la cocotte.

4

Couvrez la cocotte et faites cuire au moins 8 h, jusqu'à ce que la viande soit fondante, en ajoutant du liquide si nécessaire. Retirez et écalez les œufs, puis remettez-les dans la cocotte au moment de servir.

1

Préchauffez le four à 110 °C (th. 3). Égouttez les haricots, mettez-les dans une casserole et recouvrez d'eau. Portez à ébullition, puis laissez cuire 10 min à gros bouillons. Écumez et égouttez.

2

Faites sauter les oignons 10 min à la poêle dans la moitié de l'huile. Mettez-les dans une cocotte avec carottes et haricots. Faites dorer le bœuf en plusieurs fois dans l'huile restante, ajoutez-le dans la cocotte et glissez les œufs entre les morceaux.

Côte de bœuf à l'oignon

*La viande poivrée, dorée à la poêle, puis rapidement rôtie au four contentera
quatre appétits moyens ou deux affamés. La sauce à l'oignon est exquise.*

INGRÉDIENTS

* 1 côte de bœuf d'environ 1 kg
et de 4 cm d'épaisseur, bien dégraissée
* 1 cuil. à café de grains de poivre noir
légèrement écrasés
* 1 cuil. à café de gros sel de mer, écrasé
* 50 g de beurre
* 1 gros oignon rouge émincé
* 12 cl de vin rouge fruité
* 12 cl de bouillon de bœuf
* 1 à 2 cuil. à soupe de gelée de groseilles
* 2 pincées de thym séché
* 2 à 3 cuil. à soupe d'huile d'olive
* sel et poivre noir du moulin

Pour 2 à 4 personnes

1

Essuyez la côte de bœuf avec un torchon
humide. Mélangez les grains de poivre écrasés avec le gros sel et pressez le mélange sur
les deux côtés de la viande, en l'enrobant
complètement. Laissez reposer 30 min, enveloppé dans du papier d'aluminium.

2

Préparez la sauce. Mettez 40 g de beurre dans
une casserole et faites cuire l'oignon 3 à 5 min.
Ajoutez le vin, le bouillon, la gelée de groseilles et le thym, puis portez à ébullition. Baissez le feu et laissez mijoter 30 à 35 min, jusqu'à ce que le liquide soit évaporé et la sauce
épaisse. Salez, poivrez et gardez au chaud.

3

Préchauffez le four à 220° (th. 8). Faites
fondre le reste du beurre avec l'huile dans une
poêle épaisse, allant au four. Mettez à dorer la
viande 1 à 2 min de chaque côté à feu vif.
Enfournez aussitôt la poêle et faites rôtir 8 à
10 min. Posez le bœuf sur une planche à
découper, couvrez et laissez reposer 10 min.
Détachez la viande de l'os au couteau, puis
découpez des tranches épaisses. Servez avec la
sauce à l'oignon.

Rôti de viande hachée

Voici une délicieuse alternative au rôti classique.

INGRÉDIENTS

* 1 grosse noix de beurre
* 1 petit oignon haché
* 2 gousses d'ail écrasées
* 2 branches de céleri hachées
* 500 g de bœuf maigre haché
* 500 g de porc haché
* 2 œufs
* 50 g de chapelure blanche fraîche
* 3 cuil. à soupe de persil frais haché
* 2 cuil. à soupe de basilic frais ciselé
* 1/2 cuil. à café de thym effeuillé
* 1/2 cuil. à café de sel
* 1/2 cuil. à café de poivre noir
  du moulin
* 2 cuil. à soupe de sauce Worcester
* 4 cuil. à soupe de sauce tomate pimentée
  ou de ketchup
* 6 tranches fines de lard fumé découenné
* quelques brins de basilic, pour décorer

Pour 6 personnes

3

Avec les mains, façonnez le mélange en un rôti ovale. Placez-le avec précaution dans un plat à four.

4

Posez les tranches de lard sur la viande. Faites cuire 1 h 15 au four, en arrosant de temps à autre. Retirez du four et dégraissez le jus. Dressez le « rôti » sur le plat de service et laissez-le reposer 10 min avant de servir, décoré de basilic.

1

Préchauffez le four à 180 °C (th. 6). Mettez le beurre dans une petite poêle et faites cuire 8 à 10 min sur feu doux l'oignon, l'ail et le céleri. Retirez du feu et laissez légèrement refroidir.

2

Dans un grand saladier, mélangez l'oignon, l'ail et le céleri avec tous les autres ingré-dients, exceptés le lard et le basilic.

Bœuf Wellington

*Rien n'égale pour un repas de fête, le succulent parfum du bœuf Wellington.
Traditionnellement, la viande est fourrée de pâté de foie d'oie mais, à la campagne,
on préfère souvent le « pâté » de champignons sauvages frais, cueillis au petit matin.*

INGRÉDIENTS

* *700 g de rôti de bœuf
dans le filet, ficelé*
* *1 cuil. à soupe d'huile de tournesol*
* *350 g de pâte feuilletée*
* *1 œuf battu, pour dorer*
* *sel et poivre noir du moulin*

Pour les crêpes au persil
* *50 g de farine*
* *1 pincée de sel*
* *15 cl de lait*
* *1 œuf*
* *2 cuil. à soupe de persil frais haché*

Pour le pâté de champignons
* *1 grosse noix de beurre*
* *2 échalotes ou 1 petit oignon hachés*
* *500 g de champignons sauvages
et cultivés assortis, hachés*
* *50 g de chapelure blanche fraîche*
* *5 cuil. à soupe de crème épaisse*
* *2 jaunes d'œufs*

Pour 4 personnes

1

Préchauffez le four à 220 °C (th. 8). Poivrez le filet en donnant plusieurs tours de moulin. Mettez-le à dorer sur tous les côtés, dans un plat à rôtir avec l'huile. Mettez au four et faites cuire 15 min (bleu), 20 min (à point), ou 25 min (bien cuit). Laissez refroidir. Baissez la température du four à 190 °C (th. 6).

2

Préparez les crêpes. Mélangez la farine, le sel, la moitié du lait, l'œuf et le persil pour obtenir une pâte lisse, puis ajoutez le reste du lait. Faites chauffer une poêle antiadhésive graissée et versez suffisamment de pâte pour en recouvrir le fond. Quand la pâte est prise, retournez la crêpe et faites cuire rapidement l'autre côté. La recette permet de faire 3 à 4 crêpes.

3

Préparez le « pâté » de champignons. Mettez le beurre dans une poêle et faites cuire les échalotes ou l'oignon 7 à 10 min, sans les colorer. Ajoutez les champignons, faites sortir leur eau, puis augmentez le feu pour que le liquide s'évapore. Mélangez la chapelure, la crème et les jaunes d'œufs. Incorporez ce mélange aux champignons. Laissez refroidir.

4

Étalez la pâte feuilletée en un rectangle de 35 × 30 cm. Posez 2 crêpes sur la pâte et recouvrez-les d'une partie du « pâté » de champignons. Posez le bœuf sur le « pâté », recouvrez du reste de pâté, puis des crêpes restantes. Découpez 4 carrés de pâte dans les angles et réservez-les. Badigeonnez la pâte à l'œuf et enveloppez la viande. Décorez avec la pâte réservée.

5

Posez le bœuf Wellington sur une plaque à pâtisserie et badigeonnez d'œuf battu. Faites cuire 40 min environ, jusqu'à ce que la pâte soit bien dorée. Vous pouvez vérifier la cuisson avec un thermomètre à viande qui doit marquer 125-130 °C (bleu), 135 °C (à point) ou 160 °C (bien cuit).

Rôti de bœuf aux poivrons rouges

Plat substantiel et chaleureux pour les froides soirées d'hiver.

INGRÉDIENTS

* 1 morceau de faux-filet de 1,5 kg
* 1 cuil. à soupe d'huile d'olive
* 500 g de petits poivrons rouges
* 150 g de champignons
* 200 g de lard fumé coupé en lardons
* 2 cuil. à soupe de farine
* 15 cl de vin rouge bien charpenté
* 30 cl de bouillon de bœuf
* 2 cuil. à soupe de marsala
* 2 cuil. à café d'un mélange
  de fines herbes séchées
* sel et poivre noir du moulin

Pour 8 personnes

1

Préchauffez le four à 190 °C (th. 6). Assaisonnez la viande. Chauffez l'huile dans une grande poêle et faites dorer la viande sur toutes les faces. Mettez-la dans un grand plat à four et enfournez pour 1 h 15.

2

Mettez les poivrons rouges à rôtir au four, 20 min pour des petits poivrons et 45 min s'ils sont gros.

3

En fin de cuisson de la viande, préparez la sauce. Hachez grossièrement les champignons.

4

Chauffez de nouveau la poêle et mettez les lardons à dorer jusqu'à ce qu'ils rendent leur graisse. Ajoutez la farine et laissez brunir quelques minutes.

5

Incorporez peu à peu le vin rouge et le bouillon. Portez à ébullition en remuant. Baissez le feu, ajoutez le marsala, les herbes et assaisonnez.

6

Incorporez les champignons et laissez cuire quelques minutes. Sortez le bœuf du four et laissez-le reposer 10 min avant de le couper. Servez avec les poivrons rôtis et la sauce chaude.

Fricassée de bœuf et boulettes aux herbes

Cette délicieuse fricassée traditionnelle trouve ici un accompagnement original.

INGRÉDIENTS

* 1 cuil. à soupe de farine
* 1,2 kg de bœuf à braiser détaillé en dés
* 2 cuil. à soupe d'huile d'olive
* 2 gros oignons émincés
* 500 g de carottes émincées
* 30 cl de bière blonde ou brune
* 3 feuilles de laurier
* 2 cuil. à soupe de sucre roux
* 3 brins de thym frais
* 1 cuil. à café de vinaigre de cidre
* sel et poivre noir du moulin

Pour les boulettes aux herbes
* 125 g de margarine dure râpée
* 250 g de farine avec levain incorporé
* 2 cuil. à soupe d'un mélange de fines herbes fraîches
* 15 cl d'eau environ

Pour 6 personnes

1

Préchauffez le four à 160 °C (th. 5). Mettez la viande dans un saladier. Assaisonnez la farine et saupoudrez-en la viande, mélangez pour bien fariner celle-ci.

2

Chauffez l'huile dans une grande cocotte pour faire légèrement dorer les oignons et les carottes. Retirez les légumes à l'aide d'une écumoire et réservez-les.

3

Mettez à dorer la viande en plusieurs fois dans la cocotte. Réservez la farine restant dans le saladier.

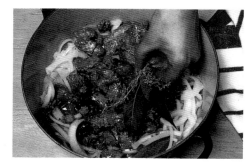

4

Remettez les légumes dans la cocotte et ajoutez la farine réservée. Ajoutez la bière, le laurier, le sucre et le thym. Portez à ébullition et mettez au four. Laissez cuire 1 h 40.

5

Au bout d'1 h 30, confectionnez les boulettes. Mélangez ensemble la margarine, la farine et les herbes. Ajoutez suffisamment d'eau pour obtenir une pâte souple et collante.

6

Formez des boulettes entre vos mains farinées. Versez le vinaigre dans la cocotte et posez les boulettes sur la viande. Cuisez au four encore 20 min afin que les boulettes soient à point et servez très chaud.

Tourte au bœuf et aux rognons, sauce moutarde

Voici une version relevée de cette recette anglaise traditionnelle.
Les parfums de la moutarde, du laurier et du persil se marient remarquablement avec le bœuf.

INGRÉDIENTS

* 450 g de pâte feuilletée
* 3 cuil. à soupe de farine
* sel et poivre
* 750 g de rumsteck détaillé en dés
* 170 g de rognons d'agneau
* 1 grosse noix de beurre, plus un peu pour le moule
* 1 oignon moyen haché
* 1 cuil. à soupe de moutarde
* 2 feuilles de laurier
* 1 cuil. à soupe de persil haché
* 15 cl de bouillon de bœuf
* 1 œuf battu

Pour 4 personnes

1

Étalez les 2/3 de la pâte feuilletée sur 3 mm d'épaisseur sur une surface farinée. Tapissez-en un moule à tourte beurré de 1,5 l. Placez au centre une petite « cheminée » en papier sulfurisé.

2

Mettez la farine, le sel et le poivre dans un saladier, ajoutez les dés de bœuf et mélangez. Retirez le gras et la peau des rognons, puis coupez-les en tranches épaisses. Ajoutez-les à la préparation en les farinant bien. Mettez le beurre dans une poêle et faites dorer l'oignon haché, puis ajoutez la moutarde, le laurier, le persil et le bouillon. Mélangez bien cette sauce.

3

Préchauffez le four à 190 °C (th. 6). Répartissez le bœuf et les rognons sur la pâte et nappez de sauce. Étalez le reste de pâte feuilletée sur une épaisseur de 3 mm. Badigeonnez les bords de la tourte avec l'œuf battu et recouvrez du second morceau de pâte. Soudez les bords ensemble et retirez ce qui dépasse. Découpez des feuilles dans ce reste de pâte pour décorer le dessus.

4

Badigeonnez la tourte à l'œuf battu et pratiquez un petit trou à l'emplacement de la « cheminée ». Faites cuire 1 h au four, jusqu'à ce que la croûte soit bien dorée.

Rognons de veau à la moutarde

*Ce plat est tout aussi délicieux avec des rognons d'agneau. Pour que la sauce reste relevée,
ne la faites pas trop cuire après avoir ajouté la moutarde.*

INGRÉDIENTS

* 1 rognon de veau ou 8 à 10 rognons
d'agneau, sans la peau
* 1 grosse noix de beurre
* 1 cuil. à soupe d'huile de tournesol
* 125 g de champignons de Paris
coupés en morceaux
* 4 cuil. à soupe de bouillon de poulet
* 2 cuil. à soupe de cognac (facultatif)
* 15 cl de crème fraîche épaisse
* 2 cuil. à soupe de moutarde forte
* sel et poivre noir du moulin
* ciboulette ciselée, en garniture

Pour 4 personnes

___3___

Mettez les champignons à dorer dans la poêle
2 à 3 min, en remuant fréquemment. Versez
le bouillon de poulet et le cognac, portez à
ébullition et laissez cuire 2 min.

___4___

Ajoutez la crème et laissez épaissir 2 à 3 min.
Incorporez la moutarde et assaisonnez, puis
remettez les rognons et laissez cuire encore
1 min. Parsemez de ciboulette avant de servir.

___1___

Séparez les rognons les uns des autres, en
retirant la graisse éventuelle. S'il s'agit de
rognons d'agneau, retirez le cœur en pra-
tiquant une incision en V au centre de chaque rognon. Coupez chaque rognon en 3 ou
4 morceaux.

___2___

Faites fondre le beurre et l'huile dans une
grande poêle. Mettez les rognons à dorer sur
feu vif 3 à 4 min, en remuant fréquemment,
puis retirez-les avec une écumoire et réservez-
les sur un plat.

Blanquette de veau

La blanquette se fait traditionnellement avec du veau,
mais vous pouvez très bien le remplacer par de l'agneau.

INGRÉDIENTS

* 1,5 kg d'épaule de veau sans os,
  coupée en morceaux de 5 cm
* 1,5 l de bouillon de veau ou de poulet
* 1 gros oignon piqué de 2 clous de girofle
* 4 carottes émincées
* 2 poireaux émincés
* 1 gousse d'ail coupée en deux
* 1 bouquet garni
* 1 cuil. à soupe de grains de poivre noir
* 70 g de beurre
* 250 g de champignons de Paris
  coupés en morceaux

* 250 g d'échalotes ou de petits oignons
* 1 cuil. à soupe de sucre en poudre
* 40 g de farine
* 12 cl de crème fraîche épaisse
* 1 pincée de muscade
* 4 cuil. à soupe d'aneth
  ou de persil frais haché
* sel et poivre blanc
* quelques brins de persil, pour décorer

Pour 6 personnes

1

Mettez le veau et le bouillon dans une grande cocotte. Portez à ébullition, écumez en surface, puis ajoutez l'oignon piqué de clous de girofle, 1 carotte émincée, les poireaux, l'ail, le bouquet garni et les grains de poivre. Couvrez, baissez le feu et laissez frémir environ 1 h, jusqu'à ce que le veau soit juste cuit.

2

Pendant ce temps, mettez 15 g de beurre dans une poêle et faites dorer les champignons. À l'aide d'une écumoire, transférez-les dans un grand saladier.

3

Faites fondre encore 15 g de beurre dans la poêle et ajoutez les échalotes ou les oignons. Saupoudrez de sucre et versez environ 6 cuil. à soupe du bouillon de cuisson du veau. Couvrez et laissez frémir 10 à 12 min, jusqu'à ce que les oignons soient cuits et le liquide évaporé. Ajoutez les oignons aux champignons.

4

Quand le veau est cuit, retirez les morceaux avec une écumoire et mettez-les sur les légumes. Passez le bouillon de cuisson du veau et réservez-le (jetez les légumes cuits et le bouquet garni). Rincez la cocotte et remettez-la sur le feu.

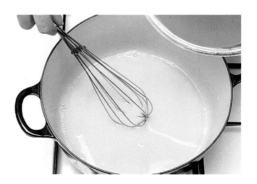

5

Faites fondre le reste du beurre dans la cocotte, ajoutez la farine et laissez cuire 1 à 2 min. Incorporez peu à peu au fouet le bouillon de cuisson réservé. Portez à ébullition et laissez épaissir légèrement à feu doux. Ajoutez le reste des carottes et faites cuire encore 10 min, jusqu'à ce qu'elles soient tendres.

6

Incorporez la crème au fouet dans cette sauce et laissez légèrement épaissir à feu doux. Ajoutez la viande, les champignons et les oignons, puis laissez mijoter 10 à 15 min, afin que le veau soit très tendre. Assaisonnez de sel, de poivre blanc et de muscade, ajoutez l'aneth ou le persil haché. Décorez de brins de persil et servez.

Entremets, tartes et crumbles

*La campagne offre un large éventail de produits pour
la réalisation des desserts. Les pommes parfumées, les poires
ou les cerises luisantes abondent au verger. Les tiges de
rhubarbe, les fraises et les framboises sucrées, les prunes
juteuses sont à portée de main, prêtes à être transformées
en délicieux entremets. Ce chapitre vous en propose toutes
sortes de recettes convenant aussi bien aux repas quotidiens
qu'aux dîners plus festifs. Pour les gourmands, servez-les
avec de la crème fraîche ou une crème anglaise.*

Bombe meringuée au citron et au chocolat à la menthe

Originale par son délicieux mélange de parfums,
cette simple glace fait toujours grand effet.

INGRÉDIENTS

* *2 gros citrons*
* *150 g de sucre en poudre*
* *15 cl de crème fraîche*
* *60 cl de yaourt nature*
* *2 grosses meringues*
* *3 petites branches de menthe fraîche*
* *250 g de chocolat à la menthe râpé*

Pour 6 à 8 personnes

1

Pelez le zeste des citrons avec une râpe ou un économe. Pressez le jus. Réduisez le sucre et le zeste en poudre au mixer. Ajoutez la crème fraîche, le yaourt et le jus de citron, mélangez bien. Versez le tout dans un saladier et incorporez les meringues grossièrement écrasées.

3

Quand la glace est prise, creusez le centre à la cuillère et versez le chocolat dans le creux. Recouvrez le chocolat avec la glace retirée et remettez au congélateur.

2

Réservez 1 brin de menthe et hachez finement le reste. Ajoutez au mélange. Versez dans une coupe en verre de 1,2 l et mettez 4 h au congélateur.

4

Pour démouler, trempez la coupe quelques secondes dans de l'eau très chaude, puis retournez-la coupe sur le plat de service. Décorez la bombe de chocolat râpé et du brin de menthe réservé.

Crème à la menthe et au pamplemousse

La menthe pousse très bien au jardin et peut même devenir envahissante.
Voici un excellent moyen d'utiliser une récolte trop abondante.

INGRÉDIENTS

* *500 g de pommes acides épluchées,*
   épépinées et émincées
* *250 g de pulpe de pamplemousses roses*
* *1 cuil. à soupe de miel liquide*
* *2 cuil. à soupe d'eau*
* *6 grosses branches de menthe,*
plus quelques feuilles pour décorer
* *15 cl de crème épaisse*
* *30 cl de crème pâtissière*

Pour 4 à 6 personnes

1

Mettez les pommes, la pulpe de pample-
mousse, le miel, l'eau et la menthe dans une
casserole et laissez cuire 10 min. Laissez refroidir dans la casserole, puis jetez la menthe.

2

Fouettez la crème épaisse et mélangez-la à la
crème pâtissière, en réservant 2 cuillerées à
soupe pour décorer. Incorporez avec précaution aux fruits. Servez frais, décoré de crème
fouettée et de brins de menthe.

Crème aux fraises

Ce délicieux dessert se fait le jour même et doit se déguster très frais, pour en exalter le parfum.

INGRÉDIENTS

* *30 cl de lait*
* *2 jaunes d'œufs*
* *90 g de sucre en poudre*
* *quelques gouttes d'essence de vanille*
* *1 kg de fraises bien mûres*
* *le jus d'1/2 citron*
* *30 cl de crème épaisse*
* *12 petites fraises et 4 brins de menthe fraîche, en garniture*

Pour 4 personnes

1

Mélangez au fouet 2 cuillerées à soupe de lait avec les jaunes d'œufs, 1 cuillerée à soupe de sucre et la vanille.

2

Faites chauffer le reste du lait jusqu'à la limite de l'ébullition.

3

Versez le lait sur la préparation aux jaunes d'œufs en fouettant. Reversez le mélange dans la casserole.

4

Faites épaissir cette crème à feu doux, jusqu'à ce qu'elle nappe le dos d'une cuillère en bois. Posez un disque de papier sulfurisé sur la crème et laissez refroidir.

5

Réduisez les fraises en purée au mixer, avec le jus de citron et le reste du sucre.

6

Fouettez légèrement la crème épaisse, puis ajoutez-lui la purée de fruits et la crème aux œufs. Versez dans des coupes, garnissez de fraises et de brins de menthe.

Gelée à la fleur d'oranger

*Dans ce délicieux dessert, le parfum du fruit frais associé à la gelée lisse
est particulièrement rafraîchissant, surtout après un repas copieux.
Servez-le avec des langues de chat.*

INGRÉDIENTS

* 5 cuil. à soupe de sucre en poudre
* 15 cl d'eau
* 3 sachets de gélatine en poudre
  (environ 25 g)
* 60 cl de jus d'orange fraîchement pressé
* 2 cuil. à soupe d'eau de fleur d'oranger

Pour 4 personnes

1

Faites dissoudre le sucre en poudre dans l'eau, dans une petite casserole, sur feu doux. Laissez refroidir.

2

Versez la gélatine en pluie dans l'eau sucrée. Attendez qu'elle ait absorbé tout le liquide et soit devenue solide.

3

Chauffez la préparation au-dessus d'une casserole d'eau bouillante, jusqu'à ce que la gélatine soit transparente. Laissez refroidir, puis mélangez-la avec le jus d'orange et l'eau de fleur d'oranger.

4

Versez la gelée dans une coupe en verre que vous aurez mouillée au préalable. Mettez au réfrigérateur au moins 2 h, afin que la gelée soit prise. Servez après l'avoir démoulée.

Pudding au gingembre et à la cannelle

Pudding anglais traditionnel et chaleureux, exquis avec de la crème anglaise.

INGRÉDIENTS

* *120 g de beurre ramolli*
* *3 cuil. à soupe de sirop de sucre de canne*
* *120 g de sucre en poudre*
* *2 œufs légèrement battus*
* *120 g de farine*
* *1 cuil. à café de levure chimique*
* *1 cuil. à café de cannelle en poudre*
* *25 g de gingembre-tige en conserve ou de gingembre confit, haché*
* *2 cuil. à soupe de lait*

Pour 4 personnes

1

Beurrez légèrement avec 1 noix de beurre un moule à pudding en verre résistant à la chaleur, d'une contenance de 60 cl. Versez le sirop de sucre de canne dans le moule. Mettez à bouillir de l'eau dans une cocotte minute.

2

Battez au fouet le reste du beurre et le sucre en une crème légère et mousseuse. Ajoutez peu à peu les œufs et fouettez bien. Mélangez la farine, la levure et la cannelle et ajoutez-les à la préparation précédente, avec le gingembre. Versez le lait et remuez pour obtenir une pâte souple et coulante.

3

Versez la pâte dans le moule et lissez le dessus. Couvrez avec un disque de papier sulfurisé, plissé pour permettre au pudding de gonfler pendant la cuisson. Ficelez le moule afin de maintenir le papier et laissez cuire à la vapeur 1 h 30 à 2 h, en assurant un niveau d'eau constant. Démoulez le pudding en le retournant.

Poires pochées

Servez chaud avec de la crème fraîche et des petits sablés.

INGRÉDIENTS

* *6 poires moyennes*
* *350 g de sucre en poudre*
* *5 cuil. à soupe de miel liquide*
* *1 gousse de vanille*
* *60 cl de vin rouge*
* *1 cuil. à café de clous de girofle entiers*
* *1 bâton de cannelle de 7 cm*

Pour 4 personnes

1

Pelez les poires mais laissez-les entières, en gardant également la queue.

2

Mettez le sucre, le miel, la vanille, le vin, les clous de girofle et la cannelle dans une casserole.

3

Faites pocher les poires 30 min dans ce mélange, jusqu'à ce qu'elles soient cuites. Retirez-les avec une écumoire et gardez-les au chaud. Jetez la gousse de vanille, les clous de girofle et le bâton de cannelle, puis faites réduire le liquide de moitié. Servez les poires arrosées de sauce.

Clafoutis aux cerises

Dessert traditionnel aux cerises qui fleure bon la cuisine du terroir.

INGRÉDIENTS

* 700 g de cerises noires
* 50 g de farine
* 1 pincée de sel
* 4 œufs entiers, plus 2 jaunes
* 120 g de sucre en poudre,
plus un peu pour saupoudrer le clafoutis
* 60 cl de lait
* 50 g de beurre fondu,
plus un peu pour le plat

Pour 6 personnes

1

Préchauffez le four à 190 °C (th. 6). Beurrez légèrement un plat à four peu profond. Dénoyautez les cerises et disposez-les en une seule couche dans le plat.

2

Mélangez la farine et le sel. Ajoutez les œufs entiers, les jaunes, le sucre et un peu de lait pour obtenir une pâte lisse.

3

Incorporez peu à peu le reste du lait et le beurre fondu, puis versez la pâte sur les cerises. Faites cuire 40 à 50 min, afin que le clafoutis soit doré et la crème prise. Servez chaud, saupoudré de sucre.

CONSEIL
Si vous ne trouvez pas de cerises fraîches, remplacez-les par 2 boîtes de 425 g de cerises noires dénoyautées, bien égouttées. Vous pouvez aussi ajouter 3 cuillerées à soupe de kirsch à la pâte.

Crème glacée à la menthe

La crème glacée est meilleure si elle n'est pas trop dure. Sortez-la du congélateur
20 minutes avant de la servir. Pour un repas de fête, présentez-la sur une coupe glacée
(voir Sorbet à la bourrache, *page 178, étape 2).*

* 8 jaunes d'œufs
* 75 g de sucre en poudre
* 60 cl de crème liquide
* 1 gousse de vanille
* 4 cuil. à soupe de menthe fraîche hachée

Pour 8 personnes

1

Battez les jaunes d'œufs avec le sucre au fouet à main ou électrique, jusqu'à ce qu'ils moussent et blanchissent. Versez dans une petite casserole.

2

Dans une autre casserole, portez la crème liquide à ébullition avec la gousse de vanille.

3

Retirez la vanille et versez la crème brûlante sur les œufs, en fouettant vigoureusement.

4

Continuez à battre pour bien mélanger la préparation.

5

Mettez à épaissir sur feu doux jusqu'à ce que la crème nappe le dos d'une cuillère en bois. Laissez refroidir.

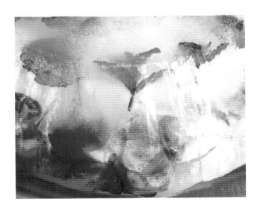

6

Incorporez la menthe et versez dans une sorbetière électrique que vous faites tourner 3 à 4 h. Si vous n'avez pas de sorbetière, mettez la crème au freezer jusqu'à ce qu'elle commence à prendre, fouettez-la bien pour briser les cristaux de glace. Remettez 3 h au freezer et fouettez de nouveau. Remettez une dernière fois au freezer, au moins 6 h.

Gâteau aux fruits d'été

Qui pourrait résister au charme de ce délicieux gâteau décoré de petites pensées cristallisées,
parfait pour un dîner au jardin dans la douceur du mois de juin !

INGRÉDIENTS

* ✳ *6 petites pensées ou violettes*
* ✳ *sucre en poudre, pour cristalliser*
* ✳ *2 œufs entiers, plus 1 blanc*
  pour cristalliser
* ✳ *100 g de margarine molle,*
  plus un peu pour le moule
* ✳ *100 g de sucre*
* ✳ *2 cuil. à café de miel liquide*
* ✳ *150 g de farine avec levain incorporé,*
  plus un peu pour le moule
* ✳ *1/2 cuil. à café de levure chimique*
* ✳ *2 cuil. à soupe de lait*
* ✳ *1 cuil. à soupe d'eau de rose*
* ✳ *1 cuil. à soupe de Cointreau*
* ✳ *500 g de fraises*
* ✳ *sucre glace et feuilles de fraisier,*
  pour décorer

Pour 6 à 8 personnes

1

Pour cristalliser les pensées, passez-leur au pinceau du blanc d'œuf légèrement battu, saupoudrez de sucre et laissez sécher.

2

Préchauffez le four à 190 °C (th. 6). Graissez et farinez un moule à kouglof ou à savarin.

3

Dans un grand saladier, mélangez la margarine, le sucre, le miel, la farine, la levure chimique, le lait et les œufs entiers. Fouettez pendant 1 min. Ajoutez l'eau de rose et le Cointreau, puis mélangez bien.

4

Versez le mélange dans le moule et faites cuire 40 min au four. Laissez reposer quelques minutes, puis démoulez sur un plat de service.

5

Saupoudrez de sucre glace. Garnissez le centre du gâteau avec les fraises. Décorez avec les fleurs cristallisées et quelques feuilles de fraisier.

Sorbet à la bourrache, à la menthe et à la mélisse

Gardez un petit coin de jardin pour la bourrache.
Vous pourrez ainsi réaliser ce sorbet rafraîchissant
et décorer vos boissons d'été avec de ravissantes fleurs.

INGRÉDIENTS

* ✳ *500 g de sucre en poudre*
* ✳ *50 cl d'eau*
* ✳ *6 brins de menthe,*
  plus quelques feuilles pour décorer
* ✳ *6 feuilles de mélisse*
* ✳ *6 feuilles de bourrache*
* ✳ *25 cl de vin blanc*
* ✳ *2 cuil. à soupe de jus de citron*
* ✳ *feuilles de bourrache, pour décorer*

Pour 6 à 8 personnes

1

Rincez les herbes. Portez à ébullition le sucre et l'eau dans une casserole avec la moitié des herbes. Hors du feu, ajoutez le vin. Couvrez et mettez plusieurs heures au frais. Passez et ajoutez le jus de citron. Faites prendre au freezer, fouettez vivement, puis remettez au freezer. Répétez l'opération toutes les 15 min, pendant au moins 3 h.

3

Posez à l'intérieur un bol plus petit et lestez-le avec un poids. Remplissez l'espace entre les 2 bols avec de l'eau froide, ajoutez des herbes et faites prendre en glace.

2

Préparez une coupe glacée. Versez environ 1 cm d'eau bouillie froide dans un bol spécial congélateur (environ 60 cl) et disposez quelques herbes à l'intérieur. Faites prendre en glace, puis ajoutez un peu d'eau pour couvrir les herbes.

4

Pour séparer les bols, versez de l'eau très chaude dans le bol intérieur et retirez-le. Posez quelques secondes le bol extérieur dans l'eau très chaude, puis démoulez la coupe glacée. Posez les boules de sorbet dans la coupe glacée et décorez de feuilles de menthe et de bourrache.

Gratin de mûres aux pommes et aux noix

Ce gratin classique est à déguster lors des premiers froids de l'automne.
Servez-le avec de la crème fraîche légèrement fouettée ou une crème anglaise.

INGRÉDIENTS

* 70 g de beurre
* 180 g de chapelure blanche fraîche
* 4 cuil. à soupe de sucre roux
* 4 cuil. à soupe de sirop
  de sucre de canne
* le zeste finement râpé
  et le jus de 2 citrons
* 50 g de cerneaux de noix
* 500 g de mûres
* 500 g de pommes à cuire pelées,
  épépinées et finement émincées

Pour 4 personnes

1

Préchauffez le four à 180 °C (th. 6). Graissez un plat à gratin de 50 cl avec un peu de beurre. Faites fondre le reste du beurre et mettez la chapelure à dorer pendant 5 à 7 min, afin qu'elle soit bien croustillante. Laissez refroidir.

2

Mettez le sucre, le sirop, le zeste et le jus de citron dans une petite casserole et faites chauffer à feu doux. Incorporez la chapelure.

3

Réduisez les noix en poudre au mixer. Ajoutez-les au mélange précédent.

4

Étalez une mince couche de mûres dans le plat. Couvrez d'une fine couche de chapelure aux noix.

5

Ajoutez une mince couche de pommes, puis une autre fine couche de chapelure. Continuez ainsi jusqu'à épuisement des ingrédients, en terminant par une couche de chapelure. Garnissez bien le plat, car les mûres s'affaissent à la cuisson. Faites cuire au four 30 min, afin que la croûte soit dorée et les fruits cuits.

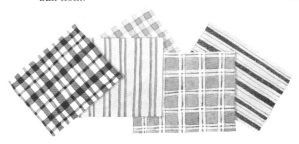

Tarte aux fruits rouges

La pâte parfumée à l'orange est exquise avec les fruits frais de l'été.
Décorez la tarte de rubans de zeste d'orange.

INGRÉDIENTS

Pour la pâte
* 250 g de farine
* 125 g de beurre,
plus un peu pour le moule
* le zeste finement râpé d'1 orange,
plus un peu pour décorer

Pour la garniture
* 30 cl de crème fraîche
* le zeste finement râpé d'1 citron
* 2 cuil. à café de sucre glace
* 700 g de petits fruits rouges

Pour 8 personnes

1

Confectionnez la pâte. Dans un saladier, malaxez le beurre avec la farine jusqu'à obtention d'un mélange ressemblant à de la chapelure.

2

Ajoutez le zeste d'orange et suffisamment d'eau froide pour obtenir une pâte souple.

3

Formez-en une boule et mettez au frais au moins 30 min. Étalez la pâte sur une surface légèrement farinée.

4

Tapissez-en un moule à tarte beurré de 24 cm de diamètre. Mettez au frais 30 min. Préchauffez le four à 200 °C (th. 7) avec une plaque à pâtisserie à l'intérieur. Posez un disque de papier sulfurisé sur la pâte et couvrez de haricots secs. Faites cuire à blanc 15 min sur la plaque. Retirez le papier et les haricots, puis cuisez encore 10 min, afin que la pâte soit dorée. Laissez complètement refroidir. Préparez la garniture. Fouettez ensemble la crème fraîche, le zeste de citron et le sucre, puis versez sur la pâte à tarte. Recouvrez de fruits et parsemez de zestes d'orange.

Tarte aux pommes normande

Pour la rendre encore plus savoureuse, parsemez la tarte d'amandes émincées.

INGRÉDIENTS

INGRÉDIENTS

Pour la pâte
* *125 g de beurre ramolli,*
plus un peu pour le moule
* *4 cuil. à soupe de sucre vanillé*
* *1 œuf*
* *250 g de farine*

Pour la garniture
* *50 g de beurre*
* *5 grosses pommes acides pelées,*
épépinées et émincées
* *le jus d'1/2 citron*
* *30 cl de crème épaisse*
* *2 jaunes d'œufs*
* *2 cuil. à soupe de sucre vanillé*
* *50 g de poudre d'amandes grillées*
* *2 cuil. à soupe d'amandes émincées*
grillées, pour décorer

Pour 8 personnes

1

Mélangez bien le beurre et le sucre au mixer. Ajoutez l'œuf et actionnez de nouveau le mixer.

2

Ajoutez la farine et mélangez pour obtenir une pâte souple. Enveloppez-la dans un film plastique et mettez au frais 30 min.

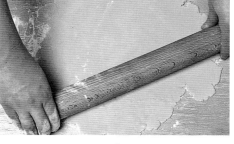

3

Étalez la pâte sur une surface farinée, sur 25 cm de diamètre.

4

Tapissez-en un moule à tarte beurré et mettez au frais encore 30 min. Mettez une plaque à chauffer dans le four à 220 °C (th. 8). Posez un disque de papier sulfurisé sur la pâte et couvrez de haricots secs. Faites cuire à blanc 10 min sur la plaque. Retirez le papier et les haricots, puis laissez cuire encore 5 min.

5

Baissez la température du four à 190 °C (th. 6). Préparez la garniture. Faites légèrement sauter les tranches de pommes avec le beurre dans une poêle, 5 à 7 min. Arrosez de jus de citron.

6

Battez la crème épaisse avec les jaunes d'œufs et le sucre vanillé. Incorporez les amandes en poudre. Disposez les tranches de pommes sur la pâte encore chaude et arrosez du mélange de crème. Faites cuire 25 min au four, afin que la crème soit juste prise mais encore fondante. Servez la tarte chaude ou froide, parsemée d'amandes émincées.

Compote de fruits rouges aux épices

Quand les fruits du jardin sont à maturité, régalez-vous avec cette simple compote.

INGRÉDIENTS

* 4 prunes rouges bien mûres
coupées en deux
* 250 g de fraises coupées en deux
* 250 g de framboises
* 2 cuil. à soupe de sucre roux
* 2 cuil. à soupe d'eau froide
* 1 bâton de cannelle
* 3 étoiles d'anis
* 6 clous de girofle
* yaourt nature ou fromage blanc,
en accompagnement

Pour 4 personnes

1

Mettez tous les ingrédients (excepté le yaourt ou le fromage blanc) dans une casserole à fond épais. Chauffez à feu doux, sans bouillir, pour dissoudre le sucre et faire sortir le jus des fruits.

2

Couvrez et laissez les fruits mijoter à feu très doux, environ 5 min. Retirez les épices avant de servir la compote chaude avec du yaourt nature ou du fromage blanc.

Tourte fantaisie à la rhubarbe

Une compote de rhubarbe sous des petits pains en spirale : un dessert typique de la campagne anglaise.

INGRÉDIENTS

* 700 g de rhubarbe coupée en tronçons
* 3 cuil. à soupe de jus d'orange
* 6 cuil. à soupe de sucre en poudre
* 200 g de farine avec levain incorporé
* 25 cl de yaourt nature
* le zeste râpé d'1 orange
* 2 cuil. à soupe de sucre roux
* 1 cuil. à café de gingembre en poudre
* yaourt grec ou crème anglaise,
en accompagnement

Pour 4 personnes

1

Préchauffez le four à 200 °C (th. 7). Faites cuire la rhubarbe avec le jus d'orange et les 2/3 du sucre. Versez dans un plat à four.

2

Préparez le couvercle. Mélangez la farine avec le reste du sucre et ajoutez peu à peu assez de yaourt pour former une pâte souple.

3

Étalez la pâte sur une surface farinée en un carré de 25 cm. Mélangez le zeste d'orange, le sucre roux et le gingembre et saupoudrez-en la pâte.

4

Roulez la pâte en serrant bien, puis coupez-la en 10 tranches que vous disposez sur la rhubarbe.

5

Faites cuire la tourte au four 15 à 20 min, jusqu'à ce que les spirales soient gonflées et bien dorées. Servez chaud avec du yaourt grec ou de la crème anglaise.

Crumble à la rhubarbe et à l'orange

Un couvercle croustillant au délicieux goût d'amandes révèle les parfums de la rhubarbe
et de l'orange. Ce dessert est encore meilleur avec de la crème anglaise.

INGRÉDIENTS

* 1 kg de rhubarbe
coupée en tronçons de 5 cm
* 6 cuil. à soupe de sucre en poudre
* le zeste finement râpé
et le jus de 2 oranges
* 120 g de farine

* 120 g de beurre bien froid
coupé en dés
* 6 cuil. à soupe de sucre roux
* 120 g d'amandes en poudre

Pour 6 personnes

_____
1

Préchauffez le four à 180 °C (th. 6). Mettez la rhubarbe dans un plat à gratin.

_____
2

Saupoudrez de sucre, puis ajoutez le zeste et le jus d'orange.

_____
3

Malaxez la farine et le beurre du bout des doigts, pour obtenir un mélange semblable à du sable à gros grains.

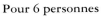

_____
4

Ajoutez le sucre roux et la poudre d'amandes, puis mélangez bien.

_____
5

Versez le mélange sur les fruits en les recouvrant complètement. Faites cuire 40 min au four, afin que le dessus soit doré et les fruits cuits. Servez chaud.

Puddings de Noël

*Dessert de Noël anglais classique. Enveloppé d'une mousseline, le pudding
se conserve jusqu'à un an dans un récipient hermétique. Il n'en sera que plus parfumé.*

INGRÉDIENTS

* 120 g de farine
* 1 pincée de sel
* 1 cuil. à café de cinq-épices
* 1/2 cuil. à café de cannelle
* 2 pincées de muscade râpée
* 230 g de margarine dure
* 1 pomme à couteau râpée
* 225 g de chapelure blanche fraîche
* 350 g de sucre roux
* 50 g d'amandes émincées
* 225 g de raisins secs noirs
* 225 g de raisins de Smyrne
* 225 g de raisins de Corinthe
* 120 g d'abricots séchés moelleux,
  dénoyautés
* 120 g d'un mélange d'écorces d'agrumes
  confites hachées
* le zeste finement râpé et le jus d'1 citron
* 2 cuil. à soupe de mélasse noire
* 3 œufs
* 30 cl de lait
* 2 cuil. à soupe de rhum
* branches de houx, pour décorer

Pour 8 personnes

1

Mélangez la farine, le sel et les épices dans
une grande jatte.

2

Ajoutez la margarine, la pomme et les autres
ingrédients secs, ainsi que le zeste de citron.

3

Faites chauffer la mélasse pour la liquéfier et
mélangez-la à la préparation précédente.

4

Battez les œufs avec le lait et le rhum.

5

Incorporez-les à la préparation, ainsi que le
jus de citron.

6

Versez le mélange dans des moules d'une
contenance de 1, 2 l. Enveloppez les puddings
de plusieurs feuilles de papier sulfurisé, plissé
pour leur permettre de gonfler, et ficelez
les moules afin de maintenir le papier.
Faites cuire les puddings à la vapeur dans
une cocotte minute ou une casserole d'eau
bouillante. Chaque pudding nécessite 10 h de
cuisson et 3 h pour le réchauffer. Ajoutez
de l'eau si celle-ci s'évapore. Servez décoré
avec du houx.

Pains et gâteaux

Quand le pain et les gâteaux aux doux parfums
sortent du four, tous accourent vers la cuisine de la ferme.
Le thé brûlant s'accompagne de pain irlandais
ou de scones au fromage et les gourmands se régalent
de petits sablés, de cakes aux fruits confits ou
d'une merveilleuse tourte aux noix et au sirop d'érable.
L'attente est presque aussi délicieuse que le festin
lui-même. Ce chapitre vous offre un choix de pains,
de gâteaux et autres viennoiseries traditionnels,
régal toujours apprécié des petits et des grands.

Pain de la moisson

*Ce pain, qui trône au centre de la table quand la moisson est engrangée,
est un puissant symbole de la vie paysanne, trop salé pour être mangé mais magnifique.
Certaines traditions veulent qu'il soit placé sur l'autel de l'église, parmi les fruits, les légumes
et les offrandes des paroissiens. Parmi les nombreux pains de ce type existant, le plus populaire
est la gerbe de blé, symbole de la moisson et de l'importance du pain dans l'alimentation.*

INGRÉDIENTS

* 1,5 kg de farine blanche
* 2 cuil. à soupe de sel
* 40 g de levure de boulanger
* 80 à 90 cl d'eau tiède
* huile et farine, pour le plat et la plaque
* œuf battu, pour dorer

Pour 2 pains de 800 g

1

Mélangez la farine et le sel dans une grande jatte et incorporez la levure. Ajoutez suffisamment d'eau tiède pour former une pâte grossière. Pétrissez 10 min environ sur une surface légèrement farinée, jusqu'à ce que la pâte soit lisse et élastique. Mettez-la dans un plat creux légèrement huilé, couvrez et laissez reposer 1 à 2 h, afin qu'elle double de volume.

2

Préchauffez le four à 220 °C (th. 8). Huilez et farinez une grande plaque à pâtisserie. Étalez 250 g de pâte en un long boudin de 30 cm. Posez-le sur la plaque et aplatissez-le légèrement à la main pour former la base de la « gerbe », représentant les longues tiges du blé. Grâce au sel, cette pâte se travaille bien, mais le pain sera plus décoratif que comestible.

3

Étalez 350 g de la pâte restante en forme de croissant que vous placez à une extrémité de la base, en l'aplatissant. Séparez le reste de pâte en deux, puis l'un des morceaux de nouveau en deux. Roulez une moitié en un long boudin étroit. Coupez-le en plusieurs tronçons que vous posez sur la base de la gerbe : ce sont les tiges de blé. Avec l'autre moitié, réalisez une tresse que vous placez à la jonction de la base et du croissant.

4

Façonnez les épis de blé avec le reste de pâte. Étalez-la, coupez-la en plusieurs morceaux que vous roulez en petits boudins. Faites quelques incisions pour imiter les épis naturels. Placez ces « épis » en éventail sur le croissant de pâte. Badigeonnez le tout d'œuf battu. Faites cuire 20 min au four, puis baissez la température à 160 °C (th. 5) et laissez cuire encore 20 min.

Pain aux olives

Le pain aux olives est apprécié dans les régions bordant la Méditerranée. Pour cette recette grecque, préférez aux olives en conserve des olives fraîches à l'huile ou marinées aux herbes.

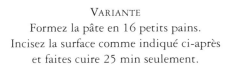

* 2 oignons rouges
* 2 cuil. à soupe d'huile d'olive, plus un peu pour les plaques
* 250 g d'olives noires ou vertes, dénoyautées
* 800 g de farine blanche
* 1 cuil. et 1/2 à café de sel
* 4 cuil. à soupe de levure de boulanger
* 3 cuil. à soupe de persil, de coriandre ou de menthe, frais et hachés
* 50 cl d'eau tiède

Pour 2 pains de 700 g

VARIANTE
Formez la pâte en 16 petits pains. Incisez la surface comme indiqué ci-après et faites cuire 25 min seulement.

1

Émincez finement les oignons. Faites-les cuire à feu doux dans l'huile pour les attendrir. Hachez grossièrement les olives.

2

Mélangez la farine, le sel, la levure et le persil (ou une autre herbe) dans un grand saladier. Incorporez les olives et les oignons, puis versez l'eau. Formez une pâte, en ajoutant un peu d'eau si le mélange est sec ou de farine s'il est humide.

3

Pétrissez 10 min sur une surface farinée, pour obtenir une pâte lisse et élastique. Séparez-la en 2 boules que vous placez sur 2 plaques huilées. Couvrez sans serrer avec du papier cellophane huilé et laissez doubler de volume.

4

Préchauffez le four à 220 °C (th. 8). Incisez la surface des 2 boules avec un couteau. Faites cuire 40 min au four, jusqu'à ce que le pain sonne creux quand vous tapotez la base. Laissez refroidir sur une grille.

Pain de pommes de terre

Les pommes de terre donnent un pain délicieux.
Il est important que le lait soit tiède et non chaud.

INGRÉDIENTS

* 250 g de pommes de terre épluchées
et coupées en morceaux
* 2 cuil. à soupe d'huile de tournesol,
plus un peu pour les moules
* 25 cl de lait tiède
* 700 g de farine blanche
* 1 cuil. à café de sel
* 4 cuil. à soupe de levure de boulanger

Pour 2 pains

1

Faites cuire les pommes de terre à l'eau bouillante salée, 20 à 30 min. Égouttez en réservant le liquide de cuisson. Réduisez-les en purée avec l'huile et le lait. Mélangez la farine, le sel et la levure. Versez la purée dans une jatte. Incorporez 25 cl du liquide de cuisson, puis ajoutez peu à peu la farine en remuant jusqu'à former une pâte épaisse.

2

Pétrissez la pâte pendant 10 min. Graissez 2 moules à cake de 23 × 13 cm. Formez 20 petites boules de pâte et répartissez-les en 2 rangées dans chaque moule. Couvrez avec du papier cellophane et faites lever dans un endroit chaud. Préchauffez le four à 200 °C (th. 7). Retirez la cellophane et faites cuire 10 min au four. Baissez la température à 190 °C (th. 6) et laissez cuire encore 40 min.

Pain irlandais au bicarbonate

Il n'est pas nécessaire de faire lever la pâte de ce pain fermier traditionnel.

INGRÉDIENTS

* 250 g de farine blanche,
plus un peu pour saupoudrer
* 120 g de farine complète
* 1 cuil. à café de bicarbonate de soude
* 1 cuil. à café de sel
* 1 grosse noix de beurre ramolli,
plus un peu pour la plaque
* 30 cl de petit-lait

Pour 1 pain

1

Préchauffez le four à 200 °C (th. 7). Graissez une plaque à pâtisserie. Réunissez les ingrédients secs dans une jatte. Faites un puits au centre pour y mettre le beurre et le petit-lait. Incorporez peu à peu le mélange de farines jusqu'à former une pâte souple. Ramassez la pâte en une boule et pétrissez pendant 3 min. Formez une boule aplatie.

2

Placez le pain sur la plaque à pâtisserie. Incisez la surface en croix avec un couteau aiguisé. Saupoudrez de farine et mettez à cuire au four 40 à 50 min, afin que la croûte soit dorée. Laissez refroidir sur une grille.

Tresse de Pâques

Servez cette délicieuse tresse avec du beurre et de la confiture.
Le lendemain, régalez-vous en la faisant griller.

INGRÉDIENTS

* 20 cl de lait
* 2 œufs légèrement battus
* 450 g de farine,
plus un peu pour la plaque
* 1/2 cuil. à café de sel
* 2 cuil. à café de cinq-épices
* 75 g de beurre
* 6 cuil. à soupe de sucre en poudre
* 20 g de levure de boulanger
* 170 g de raisins de Corinthe

* 25 g d'écorces d'agrumes confites hachées
* huile pour la jatte
* un peu de lait sucré, pour glacer
* 1 cuil. et 1/2 à soupe de cerises confites
hachées
* 1 cuil. à soupe d'angélique confite
hachée

Pour 8 personnes

1

Faites tiédir le lait, ajoutez-en les 2/3 aux œufs et remuez bien.

2

Mélangez la farine, le sel et le cinq-épices. Incorporez le beurre, malaxez, puis ajoutez le sucre et la levure. Faites un puits au centre et ajoutez la préparation lait-œufs, en mélangeant jusqu'à former une pâte collante. Ajoutez du lait si nécessaire.

3

Pétrissez la pâte sur une surface farinée et, tout en pétrissant, ajoutez les raisins et les écorces confites (réservez 1 cuillerée à soupe de ces dernières pour le dessus). Mettez la pâte dans une grande jatte huilée et couvrez avec un torchon humide. Laissez doubler de volume. Préchauffez le four à 220 °C (th. 8).

4

Retournez la pâte sur une surface farinée et pétrissez encore 2 à 3 min. Découpez-la en 3 morceaux égaux et roulez chacun en un boudin de 20 cm de long. Tressez les 3 boudins, puis rentrez les extrémités. Posez sur une plaque à pâtisserie farinée et laissez lever 15 min.

5

Badigeonnez le dessus de la tresse avec du lait sucré, parsemez de cerises et d'angélique confites hachées, ainsi que des écorces confites réservées. Faites cuire 45 min au four, le pain doit sonner creux quand vous tapotez sa base. Laissez refroidir sur une grille.

Pain complet

*L'odeur du pain frais fait maison évoque merveilleusement la cuisine de terroir.
Mangez-le le jour même pour mieux profiter de son goût délicieux.*

INGRÉDIENTS

* 20 g de levure de boulanger
* 1 cuil. à café de sucre en poudre
* 30 cl de lait tiède
* 250 g de farine complète tamisée
* 250 g de farine blanche tamisée,
  plus un peu pour la plaque
* 1 cuil. à café de sel
* 50 g de beurre froid coupé en dés
* 1 œuf légèrement battu
* huile pour la jatte
* 2 cuil. à soupe d'un mélange
  de graines de céréales

Pour 4 pains ronds ou 2 longs

1

Dissolvez la levure avec le sucre et un peu de lait, en formant une pâte. Mettez les deux farines et le sel dans une grande jatte chaude. Incorporez le beurre et malaxez jusqu'à obtenir un mélange ressemblant à du sable à gros grains.

2

Ajoutez la pâte de levure, le reste du lait et l'œuf, puis mélangez pour former une pâte assez souple. Pétrissez 15 min sur une planche farinée. Remettez la pâte dans la jatte après l'avoir huilée, et couvrez avec un film plastique huilé. Laissez doubler de volume dans un endroit chaud (au moins 1 h).

3

Enfoncez la pâte avec le poing et pétrissez-la encore 10 min. Préchauffez le four à 200 °C (th. 7). Pour faire des pains ronds, divisez la pâte en 4 morceaux que vous façonnez en boules aplaties. Posez-les sur une plaque farinée et laissez lever encore 15 min. Saupoudrez de graines mélangées. Laissez cuire 20 min au four, jusqu'à ce que la croûte soit ferme et dorée.

CONSEIL

Pour faire du pain moulé, mettez la pâte (après l'avoir enfoncée avec le poing) dans 2 moules à cake graissés. Laissez lever encore 45 min, puis faites cuire environ 45 min. Après démoulage, le pain doit sonner creux quand vous tapotez le dessous.

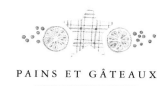

Scones

Pour réussir les scones, travaillez très peu la pâte.

* 225 g de farine
* 1 cuil. à café de levure chimique
* 1/2 cuil. à café de bicarbonate de soude
* 1 cuil. à café de sel
* 50 g de beurre bien froid (ou de margarine), plus un peu pour la plaque
* 18 cl de lait ribot ou de lait aigre

Pour 10 scones

1

Préchauffez le four à 220 °C (th. 8). Mélangez les ingrédients secs dans un saladier. Incorporez le beurre ou la margarine à la fourchette pour obtenir un mélange ressemblant à du sable à gros grains.

2

Ajoutez le lait ribot ou le lait aigre et formez rapidement une pâte souple.

3

Pétrissez la pâte 30 s sur une planche légèrement farinée.

4

Étalez-la au rouleau ou à la main sur une épaisseur de 1 cm. Découpez 10 ronds de 6 cm à l'emporte-pièce (ou avec un verre). Posez-les sur une plaque à pâtisserie graissée et laissez cuire 10 à 12 min au four, jusqu'à ce que les scones soient gonflés et dorés.

Scones au fromage

Ces savoureux scones sont parfaits au goûter. Servez-les encore chauds.

INGRÉDIENTS

* 225 g de farine
* 2 cuil. et 1/2 à café de levure chimique
* 1/2 cuil. à café de sel
* 250 g de beurre très froid
* 275 g de cheddar ou de gruyère, râpé
* 15 cl de lait
* 1 œuf battu

Pour 12 scones

1

Préchauffez le four à 230 °C (th. 8). Mélangez la farine, la levure chimique et le sel dans une jatte. Incorporez le beurre et malaxez du bout des doigts, pour obtenir un mélange ressemblant à du sable à gros grains. Incorporez 50 g de fromage.

2

Faites un puits au centre de la préparation, puis ajoutez le lait et l'œuf. Mélangez brièvement et retournez la pâte sur une surface légèrement farinée. Étalez-la et coupez-la en triangles ou en carrés. Badigeonnez de lait et saupoudrez du reste de fromage. Laissez reposer 15 min, puis faites cuire 15 min au four, afin que les scones soient bien gonflés.

Biscuits à l'avoine

Très faciles à faire, ces biscuits accompagnent bien le fromage.

INGRÉDIENTS

* 220 g de flocons d'avoine
* 70 g de farine
* 2 pincées de bicarbonate de soude
* 1 cuil. à café de sel
* 25 g de margarine dure
* 25 g de beurre

Pour 24 biscuits

1

Préchauffez le four à 220 °C (th. 8). Mettez les flocons d'avoine, la farine, le bicarbonate et le sel dans un saladier. Faites fondre la margarine et le beurre dans une casserole.

2

Ajoutez aux céréales le mélange fondu et suffisamment d'eau bouillante pour former une pâte molle. Étalez la pâte sur une faible épaisseur, sur une surface saupoudrée de flocons d'avoine, et découpez des ronds. Faites cuire les biscuits 15 min sur une plaque non graissée.

Muffins aux airelles

De délicieux petits pains peu sucrés pour le petit déjeuner ou le goûter.

INGRÉDIENTS

* 350 g de farine
* 1 cuil. à café de levure chimique
* 1 pincée de sel
* 120 g de sucre en poudre
* 2 œufs
* 15 cl de lait
* 4 cuil. à soupe d'huile de maïs
* le zeste finement râpé d'1 orange
* 150 g d'airelles

Pour 12 muffins

1

Préchauffez le four à 190 °C (th 6). Tapissez des petits moules à muffins de collerettes en papier. Mélangez la farine, la levure chimique, le sel et le sucre.

2

Battez légèrement les œufs avec le lait et l'huile. Ajoutez aux ingrédients secs et réduisez en pâte lisse au mixer. Incorporez le zeste d'orange et les airelles. Répartissez dans les moules et faites cuire 25 min, jusqu'à ce que les muffins soient gonflés et dorés. Laissez refroidir quelques minutes dans les moules et servez chaud ou froid.

Petites crêpes écossaises

Servez ces crêpes chaudes, avec du beurre et de la confiture.

INGRÉDIENTS

* 250 g de farine avec levain incorporé
* 4 cuil. à soupe de sucre en poudre
* 50 g de beurre fondu
* 1 œuf
* 30 cl de lait
* 1 noix de margarine dure

Pour 24 crêpes

1

Mélangez la farine et le sucre. Ajoutez le beurre fondu et l'œuf, puis mélangez. Versez peu à peu le lait et passez au mixer pour obtenir une pâte lisse, assez liquide.

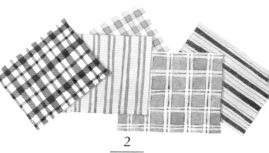

2

Faites chauffer une poêle à fond épais et frottez-la avec de la margarine dure. Quand elle est bien chaude, versez des cuillerées de pâte. Lorsque les crêpes font des bulles, retournez-les et dorez l'autre côté. Enveloppez les crêpes dans un torchon pendant que vous faites cuire les suivantes.

Biscuits sablés

Ces petits biscuits sont semblables aux sablés écossais (shortbread), *mais plus riches. Maniez-les avec précaution, ils sont très friables.*

INGRÉDIENTS

* *200 g de beurre coupé en dés, plus un peu pour la plaque*
* *6 jaunes d'œufs légèrement battus*
* *1 cuil. à soupe de lait*
* *225 g de farine*
* *175 g de sucre en poudre*

Pour 18 à 20 sablés

1

Préchauffez le four à 180 °C (th. 6). Beurrez légèrement une grande plaque à pâtisserie épaisse. Battez 1 cuillerée à soupe de jaunes d'œufs avec le lait et réservez pour dorer.

2

Mettez la farine dans un saladier et faites un puits au centre. Ajoutez le reste des jaunes d'œufs, le sucre et le beurre et mélangez ces 3 ingrédients jusqu'à ce que la consistance devienne crémeuse.

3

Incorporez peu à peu la farine pour obtenir une pâte lisse, légèrement collante.

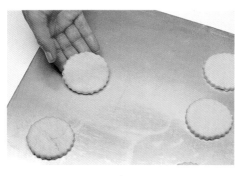

4

Étalez la pâte avec vos mains farinées, sur une épaisseur de 8 mm. Découpez des ronds de 7 cm de diamètre à l'emporte-pièce. Posez-les sur la plaque et badigeonnez d'œuf. Formez un croisillon sur la surface avec un couteau.

5

Faites cuire 12 à 15 min, afin que les sablés soient dorés. Laissez refroidir 15 min, puis posez les biscuits sur une grille et laissez refroidir complètement.

Sablés à l'orange

Ces délicieux sablés se gardent deux semaines dans un récipient hermétique.

INGRÉDIENTS

* *120 g de beurre ramolli,*
  plus un peu pour la plaque
* *4 cuil. à soupe de sucre en poudre,*
  plus un peu pour la finition
* *le zeste finement râpé de 2 oranges*
* *180 g de farine*

Pour 18 sablés

1

Préchauffez le four à 190 °C (th. 6). Fouettez le beurre avec le sucre pour le rendre souple et crémeux. Ajoutez le zeste d'orange.

2

Incorporez peu à peu la farine et façonnez la pâte en boule molle. Étalez-la sur une surface légèrement farinée, sur un 1 cm d'épaisseur. Découpez en rectangles, saupoudrez d'un peu de sucre et piquez avec une fourchette. Faites cuire sur une plaque à pâtisserie graissée 20 min au four, afin que les sablés soient légèrement dorés.

Gâteau à l'orange, coulis de fruits

Ce gâteau parfumé à l'orange est exquis avec un coulis de fruits.

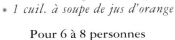
* *500 g de framboises, de fraises ou de cerises dénoyautées fraîches, ou un mélange des trois*
* *225 g de sucre en poudre, plus un peu pour saupoudrer*
* *1 cuil. à soupe de jus de citron*
* *175 g de farine*
* *2 cuil. à café de levure chimique*
* *1 pincée de sel*
* *175 g de beurre ramolli, plus un peu pour le moule*
* *3 œufs*
* *le zeste râpé d'1 orange*
* *1 cuil. à soupe de jus d'orange*

Pour 6 à 8 personnes

1

Réservez quelques fruits entiers pour décorer. Réduisez le reste des fruits en purée au mixer. Ajoutez 2 cuillerées à soupe de sucre et le jus de citron, puis mélangez de nouveau. Passez le coulis et mettez au frais.

2

Tapissez la base d'un moule à cake de 20 × 10 cm avec du papier sulfurisé et beurrez les côtés. Saupoudrez légèrement de sucre. Préchauffez le four à 180 °C (th. 6).

3

Mélangez la farine, la levure chimique et le sel. Dans un saladier, fouettez le beurre en crème. Versez le reste du sucre et fouettez 4 à 5 min pour obtenir un mélange léger et mousseux. Incorporez les œufs un par un, en battant bien entre chaque œuf. Ajoutez le zeste et le jus d'orange.

4

Incorporez la farine en plusieurs fois, puis versez le mélange dans le moule préparé, en le tapotant pour faire sortir les bulles d'air. Faites cuire 35 à 40 min au four, afin que le gâteau soit doré et moelleux. Laissez refroidir 10 min dans le moule, puis démoulez sur une grille et laissez refroidir encore 30 min. Retirez le papier sulfurisé et servez coupé en tranches, accompagné d'un peu de coulis. Décorez avec les fruits réservés.

Gâteau aux fruits secs et aux épices

Gâteau savoureux, au décor coloré d'agrumes et de cerises confites.

INGRÉDIENTS

* 180 g de raisins de Corinthe
* 180 g de raisins secs noirs
* 120 g de raisins de Smyrne
* 50 g de cerises confites coupées en deux
* 3 cuil. à soupe de madère ou de xérès
* 180 g de beurre,
  plus un peu pour le moule
* 180 g de sucre roux
* 2 très gros œufs
* 200 g de farine
* 2 cuil. à café de levure chimique
* 2 cuil. à café de chaque épice suivante :
  gingembre en poudre, piment
  de la Jamaïque et cannelle
* 1 cuil. à soupe de mélasse
* 1 cuil. à soupe de lait
* 25 g d'un mélange de fruits confits
  hachés
* 120 g de noix ou de noix de pécan hachées

Pour le décor
* 220 g de sucre en poudre
* 15 cl d'eau
* 1 citron émincé finement
* 1/2 orange émincée finement
* 150 g de marmelade d'orange
* cerises confites

Pour 12 personnes

1

Mélangez les raisins secs et les cerises dans un saladier. Ajoutez le madère ou le xérès. Couvrez, laissez macérer toute la nuit.

2

Préchauffez le four à 150 °C (th. 4). Tapissez de papier sulfurisé et graissez un moule rond démontable de 23 cm de diamètre. Fouettez le beurre et le sucre roux en une crème légère et mousseuse. Ajoutez les œufs, 1 par 1.

3

Mélangez la farine, la levure chimique et les épices. Incorporez à la crème précédente en plusieurs fois. Ajoutez la mélasse, le lait, les fruits confits et les noix.

4

Versez la préparation dans le moule, en formant un léger creux au centre. Faites cuire 2 h 30 à 3 h, la lame d'un couteau enfoncée au centre devant ressortir sèche. Couvrez de papier d'aluminium quand le dessus est doré pour lui éviter de brûler. Laissez refroidir dans le moule posé sur une grille.

5

Préparez le décor. Portez à ébullition le sucre et l'eau dans une casserole. Mettez à cuire les tranches d'agrumes 20 min. Retirez les fruits avec une écumoire et réservez. Versez le sirop sur le gâteau et laissez refroidir. Faites fondre la marmelade et nappez-en le gâteau. Décorez d'agrumes et de cerises confites.

Cakes aux fruits macérés

Voici des cakes moelleux, riches et absolument délicieux.

INGRÉDIENTS

* 225 g de pruneaux moelleux
* 225 g de dattes
* 225 g de raisins de Corinthe
* 225 g de raisins de Smyrne
* 25 cl de vin blanc sec
* 25 cl de rhum
* 350 g de farine
* 2 cuil. à café de levure chimique
* 1 cuil. à café de cannelle
* 1/2 cuil. à café de muscade râpée
* 225 g de beurre à température ambiante, plus un peu pour le moule
* 225 g de sucre en poudre
* 4 œufs légèrement battus
* 1 cuil. à café d'extrait de vanille

Pour 2 cakes

1

Dénoyautez les pruneaux et les dattes et hachez-les. Mettez-les dans un saladier avec les raisins secs. Ajoutez le vin et le rhum, puis laissez macérer 48 h. Remuez de temps à autre.

2

Préchauffez le four à 150 °C (th. 4). Tapissez de papier sulfurisé et graissez 2 moules à cake de 23 × 13 cm. Dans une jatte, mélangez la farine, la levure, la cannelle et la muscade.

3

Fouettez le beurre et le sucre en crème légère et mousseuse. Ajoutez peu à peu les œufs et la vanille. Incorporez la farine en plusieurs fois, puis les fruits secs et leur jus macéré. Mélangez légèrement.

4

Répartissez la préparation dans les moules et faites cuire au four 1 h 30 environ, la lame d'un couteau enfoncée au centre devant ressortir sèche. Laissez refroidir 20 min dans le moule, puis démoulez sur une grille et laissez refroidir complètement.

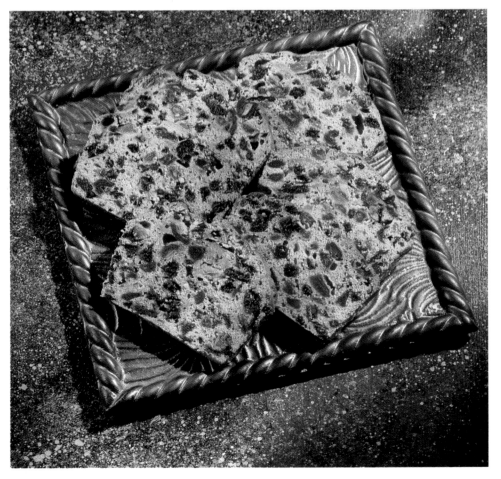

Gâteau moelleux au citron

Vous pouvez varier cette recette en remplaçant les citrons par une grosse orange.
Le gâteau sera tout aussi savoureux.

INGRÉDIENTS

* le zeste finement râpé de 2 citrons
* 170 g de sucre en poudre,
plus un peu pour saupoudrer
* 220 g de beurre ramolli,
plus un peu pour le moule
* 4 œufs
* 220 g de farine avec levain incorporé
* 1 cuil. à café de levure chimique
* 2 pincées de sel
* le zeste d'1 citron, coupé en lanières,
pour décorer

Pour le sirop
* le jus d'1 citron
* 150 g de sucre en poudre

Pour 6 personnes

1

Préchauffez le four à 160 °C (th. 5). Tapissez de papier sulfurisé et beurrez un moule à cake de 1 kg ou un moule à gâteau rond de 18 à 20 cm de diamètre. Mélangez le zeste des citrons avec le sucre.

2

Battez le beurre en crème avec le sucre citronné. Ajoutez les œufs et fouettez pour obtenir une pâte lisse. Mélangez la farine, la levure chimique et le sel, puis ajoutez-les en trois fois à la préparation précédente. Versez dans le moule, lissez le dessus et faites cuire 1 h 30 au four, afin que le dessus soit doré et souple sous le doigt.

3

Pour le sirop, faites dissoudre le sucre dans le jus de citron à feu doux. Incisez le dessus du gâteau en plusieurs endroits et imbibez-le de sirop. Décorez de lanières de zeste de citron et saupoudrez de sucre en poudre. Laissez refroidir.

Gâteau rustique aux carottes

Moelleux et délicatement parfumé, le gâteau aux carottes est un grand classique.

INGRÉDIENTS

* 450 g de sucre en poudre
* 25 cl d'huile de tournesol,
  plus un peu pour les moules
* 4 œufs
* 250 g de carottes finement râpées
* 225 g de farine,
  plus un peu pour les moules
* 1 cuil. et 1/2 à café de bicarbonate
  de soude
* 1 cuil. et 1/2 à café de levure chimique
* 1 cuil. à café de poudre de piment
  de la Jamaïque
* 1 cuil. à café de cannelle

Pour le glaçage
* 220 g de sucre glace
* 220 g de fromage blanc
* 50 g de beurre ramolli
* 2 cuil. à café d'extrait de vanille
* 170 g de noix ou de noix de pécan hachées

Pour 10 personnes

1

Dans une jatte, battez pendant 2 min le sucre en poudre, l'huile, les œufs et les carottes.

2

Mélangez les ingrédients secs dans une autre jatte. Ajoutez-les en plusieurs fois à la préparation aux carottes, en remuant bien à chaque fois. Préchauffez le four à 190 °C (th. 6). Huilez et farinez 2 moules à gâteaux ronds de 23 cm de diamètre.

3

Répartissez la pâte dans les moules. Faites cuire 35 à 45 min au four, une lame de couteau plantée au centre devant ressortir sèche. Laissez refroidir 10 min dans les moules, puis démoulez sur une grille et laissez refroidir complètement.

4

Mélangez au fouet tous les ingrédients du glaçage, excepté les noix. Collez les 2 moitiés de gâteau avec 1/3 du glaçage, puis étalez le reste sur le dessus et les côtés du gâteau, d'un mouvement arrondi. Saupoudrez le pourtour de noix.

Tarte aux noix et au sirop d'érable

Cette tarte est riche mais si délicieuse !

* *3 œufs*
* *1 pincée de sel*
* *50 g de sucre en poudre*
* *50 g de beurre fondu*
* *25 cl de sirop d'érable*
* *120 g de noix hachées*
* *crème fouettée, en garniture*

Pour la pâte

* *50 g de farine blanche*
* *50 g de farine complète*
* *1 pincée de sel*
* *50 g de beurre coupé en dés,
  plus un peu pour le moule*
* *40 g de margarine dure coupée en dés*
* *1 jaune d'œuf*
* *2 à 3 cuil. à soupe d'eau froide*

Pour 8 personnes

1

Confectionnez la pâte. Mélangez les farines et le sel dans un saladier. Incorporez le beurre et la margarine en malaxant du bout des doigts. Ajoutez le jaune d'œuf et suffisamment d'eau pour former une pâte. Ramassez en boule, enveloppez dans du papier cellophane et mettez au frais 20 min.

2

Préchauffez le four à 220 °C (th. 8). Étalez la pâte sur une surface légèrement farinée et tapissez-en un moule à tarte beurré de 23 cm de diamètre. Coupez la pâte qui dépasse, étalez-la et découpez des petits cœurs. Passez de l'eau au pinceau sur le pourtour de la tarte et collez les cœurs dessus.

3

Piquez le fond avec une fourchette. Couvrez de papier d'aluminium froissé et faites cuire 10 min au four. Retirez le papier et laissez dorer 3 à 6 min.

4

Préparez la garniture. Fouettez les œufs avec le sel et le sucre. Ajoutez le beurre fondu et le sirop d'érable. Versez sur le fond de tarte posé sur une plaque et parsemez de noix. Remettez à cuire 35 min au four, jusqu'à ce que la crème soit prise. Laissez refroidir sur une grille. Garnissez de crème fouettée.

Tarte au citron meringuée

Cette savoureuse tarte est parfaite pour couronner un pique-nique estival.
Servez-la tiède ou froide.

INGRÉDIENTS

* *le zeste râpé et le jus d'1 gros citron*
* *25 cl d'eau*
* *25 g de beurre*
* *200 g de sucre*
* *3 cuil. à soupe de Maïzena*
délayée dans 1 cuil. à soupe d'eau
* *3 œufs, les blancs séparés des jaunes*
* *1 pincée de sel*
et 1 pincée de bicarbonate de soude

Pour la pâte
* *120 g de farine*
* *1/2 cuil. à café de sel*
* *70 g de margarine dure coupée en dés,*
plus un peu pour le moule
* *2 cuil. à soupe d'eau froide*

Pour 8 personnes

CONSEIL
Vous pouvez réaliser une variante
un peu plus acide de cette tarte en
remplaçant le citron jaune par
le zeste râpé et le jus de 2 citrons verts.

___1___

Confectionnez la pâte. Mélangez la farine et
le sel. Incorporez la margarine en malaxant
du bout des doigts. Ajoutez suffisamment
d'eau pour former une pâte et étalez.

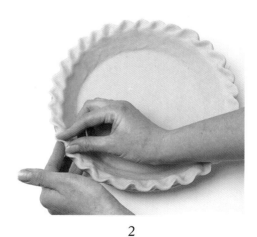

___2___

Tapissez de pâte un moule à tarte graissé
de 23 cm de diamètre, en laissant dépasser
1 cm sur le pourtour. Repliez ce qui dépasse
et pincez le bord entre les doigts. Mettez au
moins 20 min au frais. Préchauffez le four à
200 °C (th. 7).

___3___

Piquez le fond de tarte avec une fourchette.
Garnissez de papier d'aluminium froissé et
faites cuire 12 min au four. Retirez le papier
et laissez dorer encore 6 à 8 min.

___4___

Mélangez le zeste et le jus de citron avec l'eau
dans une casserole. Ajoutez le beurre et 110 g
de sucre. Portez à ébullition. Mélangez la
Maïzena avec les jaunes d'œufs. Versez dans
la casserole et laissez épaissir à feu doux, en
fouettant sans arrêt, pendant 5 min environ.
Posez un disque de papier sulfurisé mouillé
sur la surface pour éviter qu'une peau se
forme. Laissez refroidir.

5

Préparez la meringue. Battez les blancs d'œufs en neige ferme avec le sel et le bicarbonate. Ajoutez le reste du sucre et continuez à battre jusqu'à obtenir un mélange luisant.

6

Versez la crème au citron sur le fond de tarte et lissez. Couronnez de meringue en l'étalant jusqu'au bord. Faites cuire 12 à 15 min au four, afin que la meringue soit dorée par endroits.

Sauces, conserves
et confitures

*Pénétrez dans l'office attenante à la cuisine de la ferme
et vous découvrirez un merveilleux assortiment de conserves,
pickles, chutneys, confitures et gelées. On y trouve aussi
des huiles parfumées et des fromages macérant dans de
l'huile d'olive. Les couleurs sont appétissantes et les saveurs
exquises. Ce chapitre vous propose des recettes qui vous
permettront d'apprécier toute l'année des produits naturels.*

Chutney de tomates

Ce chutney de tomates est tout aussi délicieux avec de la viande froide qu'accompagné de fromage et de biscuits salés.

INGRÉDIENTS

* 1 kg de tomates pelées
* 250 g de raisins secs noirs
* 250 g d'oignons hachés

* 250 g de sucre en poudre
* 60 cl de vinaigre de malt

Pour 4 pots de 450 g

1

Hachez grossièrement les tomates. Mettez-les dans une marmite.

2

Ajoutez les raisins secs, les oignons et le sucre en poudre.

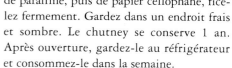

3

Versez le vinaigre. Portez à ébullition, puis laissez frémir 2 h, sans couvercle. Versez dans des pots stérilisés à l'eau bouillante. Couvrez de paraffine, puis de papier cellophane, ficelez fermement. Gardez dans un endroit frais et sombre. Le chutney se conserve 1 an. Après ouverture, gardez-le au réfrigérateur et consommez-le dans la semaine.

Chutney de pommes vertes

Cette recette familiale accompagne merveilleusement des saucisses grillées et du jambon braisé.

INGRÉDIENTS

* 1 kg de pommes vertes
* 3 à 4 gousses d'ail
* 1 l de vinaigre de malt
* 450 g de dattes hachées
* 120 g de gingembre-tige en conserve ou 50 g de gingembre confit, haché
* 450 g de raisins secs noirs
* 450 g de sucre roux
* 1/2 cuil. à café de poivre de Cayenne
* 2 cuil. à soupe de sel

Pour 2,8 kg de chutney environ

1

Coupez les pommes en quartiers sans les peler. Retirez le cœur et les pépins, puis coupez-les en petits morceaux. Épluchez et hachez l'ail, puis mettez-le dans une casserole avec les pommes.

2

Versez le vinaigre et faites bouillir jusqu'à ce que les pommes soient cuites. Ajoutez tous les autres ingrédients et laissez frémir 45 min. Transférez le chutney dans des pots stérilisés. Couvrez de paraffine et de papier cellophane, ficelez fermement.

Chutney de tomates vertes

Les tomates vertes, immangeables crues, constituent un délicieux chutney.

INGRÉDIENTS

* 2 oignons hachés
* 1 kg de tomates vertes coupées en quartiers
* 450 g de pommes non pelées, cœurs et pépins retirés, coupées en petits morceaux
* 1 l de vinaigre de malt
* 425 g de sucre roux
* 250 g de raisins de Smyrne
* 1 cuil. à café de moutarde
* 1 cuil. à café de cannelle en poudre
* 2 pincées de girofle en poudre
* 2 pincées de poivre de Cayenne

Pour 2,5 kg de chutney environ

1

Mettez les oignons dans une grande marmite, ajoutez les tomates et les pommes. Incorporez le reste des ingrédients et chauffez à feu doux, en remuant pour dissoudre le sucre.

2

Portez à ébullition, puis laissez frémir 1 h 30, sans couvercle, en remuant de temps à autre. Versez dans des pots stérilisés et chauds. Couvrez de paraffine, puis de papier cellophane, ficelez fermement.

PAGE CI-CONTRE
(de gauche à droite) — Chutney de tomates vertes, chutney de pommes vertes, chutney de poires vertes.

Chutney de poires vertes

Les petites poires vertes que les vents d'automne font tomber
sont parfaites pour ce chutney savoureux.

INGRÉDIENTS

* 700 g de poires pelées,
 cœurs et pépins retirés
* 3 oignons hachés
* 180 g de raisins secs noirs
* 1 pomme à cuire,
 cœur et pépins retirés, hachée
* 50 g de gingembre-tige en conserve
 ou 20 g de gingembre confit
* 120 g de noix hachées
* 1 gousse d'ail hachée
* le zeste râpé et le jus d'1 citron
* 60 cl de vinaigre de cidre
* 180 g de sucre roux
* 2 clous de girofle
* 1 cuil. à café de sel

Pour 2 kg de chutney environ

1

Coupez les poires en petits morceaux dans une jatte. Ajoutez les oignons, les raisins secs, la pomme, le gingembre, les noix, l'ail, le jus et le zeste de citron. Mettez le vinaigre, le sucre, les clous de girofle et le sel dans une casserole. Faites dissoudre le sucre à feu doux, en remuant, puis portez rapidement à ébullition et versez sur les fruits. Couvrez et laissez macérer toute la nuit.

2

Transférez la préparation dans une marmite et faites bouillir 1 h 30 à feu doux. Versez le chutney dans des pots stérilisés et chauds. Couvrez de paraffine, puis de cellophane, ficelez fermement.

Moutarde à l'estragon et au champagne

Cette délicieuse moutarde accompagne très bien le poisson froid.

INGRÉDIENTS

* 2 cuil. à soupe de graines de moutarde
* 5 cuil. à soupe de vinaigre
de champagne (épiceries fines)
* 115 g de moutarde en poudre
(épiceries anglaises)
* 115 g de sucre roux
* 1/2 cuil. à café de sel
* 3 cuil. et 1/2 à soupe d'huile d'olive
* 4 cuil. à soupe d'estragon frais haché

Pour 250 g de moutarde environ

Faites tremper les graines de moutarde toute la nuit dans le vinaigre. Versez le mélange dans un mixer, ajoutez la moutarde en poudre, le sucre et le sel, puis réduisez en pâte lisse. Le mixer tournant toujours, ajoutez l'huile peu à peu. Incorporez l'estragon. Versez la moutarde dans des pots stérilisés, fermez et gardez au frais.

Moutarde au miel

La moutarde au miel, très parfumée, est délicieuse dans les sauces et les assaisonnements de salades.

INGRÉDIENTS

* 220 g de graines de moutarde
* 1 cuil. à soupe de cannelle en poudre
* 1/2 cuil. à café de gingembre en poudre
* 30 cl de vinaigre de vin blanc
* 6 cuil. à soupe de miel liquide

Pour 500 g de moutarde environ

Mélangez les graines de moutarde et les épices, ajoutez le vinaigre et laissez macérer toute la nuit. Réduisez le mélange en pâte dans un mortier. Incorporez peu à peu le miel et remuez jusqu'à ce que la moutarde forme une pâte épaisse. Ajoutez du vinaigre si nécessaire. Conservez au réfrigérateur dans des pots stérilisés et consommez dans le mois.

Moutarde au raifort

Régal piquant, parfait accompagnement pour les viandes froides, le poisson fumé ou le fromage.

INGRÉDIENTS

* 3 cuil. à soupe de graines de moutarde
* 25 cl d'eau bouillante
* 120 g de moutarde en poudre
* 120 g de sucre en poudre
* 12 cl de vinaigre de vin blanc
ou de cidre
* 4 cuil. à soupe d'huile d'olive
* 1 cuil. à café de jus de citron
* 2 cuil. à soupe de crème de raifort

Pour 400 g de moutarde environ

Mettez les graines de moutarde dans une jatte, arrosez d'eau bouillante et laissez reposer 1 h. Égouttez et versez dans un mixer. Ajoutez le reste des ingrédients et réduisez en pâte lisse. Versez dans des pots stérilisés. Gardez au réfrigérateur et consommez dans les 3 mois.

PAGE CI-CONTRE *(de gauche à droite) – Moutarde au miel, moutarde au raifort, moutarde au champagne.*

Sauce à la menthe

En Angleterre, la sauce à la menthe accompagne traditionnellement le gigot rôti.

INGRÉDIENTS

* 1 gros bouquet de menthe
* 7 cuil. à soupe d'eau bouillante
* 15 cl de vinaigre de vin
* 2 cuil. à soupe de sucre en poudre

Pour 25 cl de sauce

Hachez la menthe dans un récipient de 60 cl. Versez l'eau bouillante et laissez infuser. Quand l'eau est tiède, ajoutez le vinaigre et le sucre. Transférez la sauce dans une bouteille en verre et gardez au réfrigérateur.

Ketchup

Ce ketchup fait maison a un vrai goût de tomate.

INGRÉDIENTS

* 2,25 kg de tomates très mûres
* 1 oignon
* 6 clous de girofle
* 4 grains de piment de la Jamaïque
* 6 grains de poivre noir
* 1 brin de romarin frais
* 25 g de racine de gingembre émincée
* 1 cœur de céleri haché
* 2 cuil. à soupe de sucre roux
* 4 cuil. à soupe de vinaigre
  de framboises
* 3 gousses d'ail épluchées
* 1 cuil. à soupe de sel

Pour 2,75 kg de sauce

1

Pelez et épépinez les tomates, puis hachez-les et mettez-les dans une grande casserole. Piquez l'oignon des clous de girofle et placez-le dans une mousseline nouée, avec le piment de la Jamaïque, le poivre, le romarin et le gingembre. Mettez le tout dans la casserole. Ajoutez le céleri, le sucre, le vinaigre, l'ail et le sel.

2

Portez la préparation à ébullition sur feu vif, en remuant de temps à autre. Baissez le feu et laissez frémir 1 h 30 à 2 h en remuant fréquemment, jusqu'à ce que le mélange ait réduit de moitié. Réduisez en purée au mixer, remettez dans la casserole et portez à ébullition. Baissez le feu et laissez mijoter 15 min, puis versez dans des bocaux stérilisés. Gardez au réfrigérateur et consommez dans les 2 semaines.

Sauce traditionnelle au raifort

La racine de raifort fraîche est très piquante, mais vous pouvez atténuer cette saveur en la grattant et en la pelant sous l'eau et si vous la hachez au mixer.

INGRÉDIENTS

* 3 cuil. à soupe de racine de raifort
  fraîchement râpée
* 1 cuil. à soupe de vinaigre de vin blanc
* 1 cuil. à café de sucre en poudre
* 1 pincée de sel
* 15 cl de crème épaisse

Pour 20 cl de sauce environ

1

Mettez le raifort râpé dans une jatte. Incorporez le vinaigre, le sucre et le sel.

2

Versez la sauce dans un bocal stérilisé. Vous pouvez la garder jusqu'à 6 mois au réfrigérateur. Incorporez la crème épaisse quelques heures avant de la servir.

PAGE CI-CONTRE — *Chacune de ces sauces est une réduction parfumée de ses principaux ingrédients.*

Champignons à l'huile

La conservation à l'huile convient aux champignons de bonne qualité, bien fermes.
L'huile imprégnée du parfum des champignons servira à assaisonner les salades.

INGRÉDIENTS

* 25 cl de vinaigre de vin blanc
* 15 cl d'eau
* 1 cuil. à café de sel
* 1 brin de thym frais
* 1/2 feuille de laurier
* 1 piment rouge frais (facultatif)
* 500 g de champignons sauvages assortis
* 40 cl d'huile d'olive vierge

Pour 50 cl de champignons

1

Portez le vinaigre et l'eau à frémissement dans une casserole inoxydable. Ajoutez le sel, le thym, le laurier et le piment. Laissez infuser 15 min. Incorporez les champignons.

2

Laissez frémir 10 min. Égouttez les champignons et mettez-les dans un bocal stérilisé.

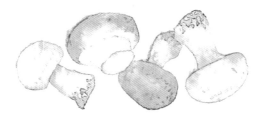

3

Recouvrez les champignons d'huile, fermez le couvercle et étiquetez. Conservez au frais, jusqu'à 12 mois.

Champignons épicés à la vodka

Carvi, citron, piment et champignons mêlés donnent un apéritif original.

INGRÉDIENTS

* 100 g de chanterelles et de pleurotes en coquille
* 1 cuil. à café de graines de carvi
* 1 citron
* 1 piment rouge frais
* 35 cl de vodka

Pour 35 cl de champignons

1

Mettez les champignons, le carvi, le citron et le piment entier dans un bocal ou une bouteille en verre.

2

Ajoutez la vodka, puis laissez macérer 2 à 3 semaines. Les champignons doivent être tombés au fond. Passez et servez bien frais.

Champignons au vinaigre

*Les champignons au vinaigre sont appétissants et délicieux, surtout enrobés
d'un peu d'huile d'olive. Les shiitake apportent ici une note exotique,
mais vous pouvez utiliser d'autres champignons fermes et varier les épices.*

INGRÉDIENts

* *25 cl de vinaigre de vin blanc*
* *15 cl d'eau*
* *1 cuil. à café de sel*
* *1 piment rouge frais*
* *2 cuil. à café de graines de coriandre*
* *2 cuil. à café de poivre du Sichuan
ou de poivre anisé*
* *250 g de champignons shiitake,
coupés en deux pour les plus gros*

Pour 50 cl de champignons

1

Portez le vinaigre de vin et l'eau à frémissement dans une casserole inoxydable. Ajoutez
le sel, le piment entier, la coriandre, le poivre
du Sichuan ou le poivre anisé et les champignons, puis laissez cuire 10 min.

2

Versez les champignons et le liquide dans un
bocal stérilisé de 50 cl. Fermez hermétiquement et laissez macérer au moins 10 jours
avant de consommer.

Vodka aux chanterelles

*En faisant macérer des chanterelles dans de la vodka, vous obtiendrez un apéritif original.
Passez et servez très frais.*

INGRÉDIENTS

* *100 g de jeunes chanterelles*
* *35 cl de vodka*

Pour 35 cl de vodka

1

Mettez les chanterelles dans un bocal à couvercle hermétique.

2

Arrosez de vodka, fermez et laissez à température ambiante. La vodka à la chanterelle
est prête lorsque les champignons sont tombés au fond.

Piccalilli

Ces petits légumes au vinaigre se marient bien avec les saucisses et le jambon.

INGRÉDIENTS

* 700 g de chou-fleur
* 450 g de petits oignons
* 350 g de haricots verts
* 1 cuil. à café de curcuma en poudre
* 1 cuil. à café de moutarde

* 2 cuil. à café de Maïzena
* 60 cl de vinaigre de vin

Pour 3 bocaux de 50 cl de piccalilli

1

Détaillez le chou-fleur en petits bouquets.

2

Épluchez les oignons et équeutez les haricots verts.

3

Mettez le curcuma, la moutarde et la Maïzena dans une petite casserole et arrosez de vinaigre. Mélangez bien, puis faites frémir 10 min.

4

Mettez les légumes dans une autre casserole. Versez la préparation au vinaigre dessus, mélangez bien et laissez frémir 45 min.

5

Versez dans des bocaux stérilisés. Couvrez de paraffine, puis de cellophane, ficelez fermement. Les piccalilli se conservent 1 an dans un endroit sombre. Après ouverture, gardez au réfrigérateur et consommez dans la semaine.

Concombres à l'aneth

L'aneth est une herbe délicieuse, facile à cultiver, qui se marie très bien avec le poisson.
Elle parfume de façon exquise ces concombres au vinaigre.

INGRÉDIENTS

* *6 petits concombres*
* *50 cl d'eau*
* *1 l de vinaigre de vin blanc*
* *120 g de sel*
* *3 feuilles de laurier*
* *3 cuil. à soupe de graines d'aneth*
* *2 gousses d'ail émincées*

Pour 2,5 l de concombres environ

1

Émincez les concombres en rondelles pas trop fines. Portez à ébullition l'eau, le vinaigre et le sel dans une casserole. Retirez aussitôt du feu.

2

Alternez par couches dans des bocaux stérilisés les concombres, les herbes et l'ail. Arrosez du vinaigre salé chaud. Quand le liquide est refroidi, fermez les bocaux. Laissez macérer sur un rebord de fenêtre ensoleillé, au moins 1 semaine avant de consommer.

Confiture à la rhubarbe et à la menthe bergamote

*La menthe bergamote pousse facilement au jardin
et elle met bien en valeur le parfum de la rhubarbe.*

INGRÉDIENTS

* 2 kg de rhubarbe
* 25 cl d'eau
* le jus d'1 citron
* 5 cm de racine de gingembre frais
* 1,4 kg de sucre en poudre
* 120 g de gingembre-tige en boîte
ou 20 g de gingembre confit, haché
* 2 à 3 cuil. à soupe de feuilles
de menthe bergamote finement hachées

Pour 2,7 kg de confiture environ

CONSEIL
Pour vérifier son degré de cuisson,
posez un peu de confiture sur une
soucoupe froide. Attendez 2 min. Si une
peau se forme en surface et se plisse
sous votre doigt, la confiture prendra.

___1___

Coupez la rhubarbe en petits tronçons. Dans
une bassine à confiture, portez à ébullition la
rhubarbe, l'eau et le jus de citron. Épluchez
et cassez la racine de gingembre, puis ajoutez
dans la bassine. Baissez le feu et laissez frémir, en remuant fréquemment, jusqu'à ce que
la rhubarbe soit cuite.

___2___

Retirez le gingembre. Mettez le sucre à dissoudre. Faites bouillir 10 à 15 min à gros
bouillons, en vérifiant la cuisson *(voir Conseil)*.
Écumez la surface, puis ajoutez le gingembre-
tige (ou gingembre confit) et la menthe
hachée. Versez dans des pots stérilisés, couvrez d'un disque de paraffine, puis de cellophane, ficelez fermement.

Gelée de pommes à la menthe

Cette gelée est délicieuse avec les petits pois du jardin ou le gigot d'agneau.

INGRÉDIENTS

* *1 kg de pommes granny smith*
* *sucre cristallisé (au moins 1 kg)*
* *3 cuil. à soupe de menthe fraîche*

Pour 3 pots de 450 g de confiture

1

Coupez les pommes en gros morceaux et mettez-les dans une bassine à confiture.

2

Recouvrez d'eau. Laissez frémir jusqu'à ce que les pommes soient cuites.

3

Versez dans une mousseline et laissez égoutter toute la nuit. Ne pressez pas la mousseline, afin que la gelée reste transparente.

4

Mesurez le jus. Ajoutez 500 g de sucre cristallisé pour 60 cl de jus.

5

Mettez le jus et le sucre dans la bassine à confiture, faites fondre à feu doux, puis portez à ébullition. Vérifiez la cuisson en posant 1 cuillerée à soupe de gelée sur une soucoupe et laissez refroidir légèrement. Si une peau se forme et se plisse sous le doigt, la gelée prendra. Laissez refroidir.

6

Ajoutez la menthe et versez dans des pots stérilisés. Couvrez de paraffine, puis de cellophane, ficelez fermement. La gelée se conserve 1 an dans un endroit sombre et frais. Après ouverture, gardez au réfrigérateur et consommez dans la semaine.

Huile parfumée au romarin

Avant de les griller, parfumez légumes et viandes avec cette huile au romarin.

INGRÉDIENTS

* 60 cl d'huile d'olive
* 5 brins de romarin frais

Pour 60 cl d'huile

1

Faites chauffez l'huile légèrement.

2

Ajoutez 4 brins de romarin et chauffez à feu doux. Mettez le dernier brin dans une bouteille. Passez l'huile, versez dans la bouteille, bouchez. Laissez refroidir et gardez au frais. Consommez dans la semaine.

Vinaigre parfumé au thym

Ce vinaigre est délicieux avec du saumon poché.

INGRÉDIENTS

* 60 cl de vinaigre de vin blanc
* 5 brins de thym frais
* 3 gousses d'ail épluchées

Pour 60 cl de vinaigre

1

Faites chauffer le vinaigre.

2

Ajoutez 4 brins de thym et l'ail, chauffez à feu doux. Mettez le dernier brin dans une bouteille, passez le vinaigre dans la bouteille. Bouchez, laissez refroidir et gardez au frais. Ce vinaigre peut se conserver 3 mois.

Fromages de brebis à l'huile d'olive

La fabrication des fromages est une tradition paysanne.
Cette recette venue de Grèce est à base de yaourt de brebis.

INGRÉDIENTS

* 800 g de yaourt grec au lait de brebis
* 1/2 cuil. à café de sel
* 2 cuil. à café de piments séchés écrasés
   ou de poudre de piment
* 1 cuil. à soupe de romarin frais haché
* 1 cuil. à soupe de thym
   ou d'origan frais haché
* 30 cl d'huile d'olive,
   aillée de préférence

Pour 900 g de fromages environ

CONSEIL

S'il fait particulièrement chaud dans votre cuisine, suspendez les fromages dans un endroit plus frais. Vous pouvez aussi les accrocher à une étagère du réfrigérateur.

1

Stérilisez un carré de mousseline de 30 cm à l'eau bouillante. Égouttez-le et étalez-le sur un plat. Mélangez le yaourt avec le sel et versez au milieu de la mousseline. Rabattez les coins de la mousseline vers le centre et attachez solidement avec de la ficelle.

2

Suspendez la mousseline à une poignée et placez un saladier dessous pour recueillir le petit-lait. Laissez 2 à 3 jours ainsi, jusqu'à ce que le yaourt cesse de goutter.

3

Mélangez le piment et les herbes. Roulez des cuillerées de fromage dans vos mains en formant des boules. Posez-les délicatement dans 2 bocaux de 1,5 l chacun, en saupoudrant chaque couche d'un peu du mélange d'herbes.

4

Recouvrez les fromages d'huile. Gardez au réfrigérateur jusqu'à 3 semaines. Pour servir le fromage, sortez-le du bocal avec un peu d'huile parfumée et étalez-le sur des tranches de pain légèrement grillé.

Tomates cerise en bocaux

Ces tomates cerise conservées dans leur jus se marient bien avec du jambon.

INGRÉDIENTS

* 1 kg de tomates cerise
* sel
* sucre cristallisé

* feuilles de basilic frais
* 5 gousses d'ail par bocal

Pour 1 kg de tomates

1

Préchauffez le four à 120 °C (th. 3). Piquez chaque tomate avec un cure-dents.

2

Placez les tomates dans des bocaux de 1 l à couvercle hermétique, en ajoutant 1 cuillerée à café de sel et autant de sucre par bocal.

3

Remplissez les bocaux jusqu'à 2 cm du haut, en intercalant les feuilles de basilic et l'ail. Posez les couvercles, mais sans fermer hermétiquement. Mettez les bocaux sur une plaque à pâtisserie tapissée de carton et faites cuire au four 45 min. Lorsque le jus bouillonne, retirez du four et fermez hermétiquement. Gardez au frais et consommez dans les 6 mois.

Betteraves au vinaigre

Par leur couleur et leur parfum, vous adorerez ces betteraves au vinaigre.

INGRÉDIENTS

* 450 g de betteraves cuites et pelées
* 1 gros oignon émincé
* 30 cl de vinaigre de cidre
* 15 cl d'eau
* 50 g de sucre cristallisé

Pour 450 g de betteraves

1

Émincez les betteraves et mettez-les dans un bocal, en alternant avec l'oignon émincé. Versez le vinaigre et l'eau dans une casserole. Ajoutez le sucre et portez à ébullition.

2

Versez le liquide sur les betteraves et fermez hermétiquement le bocal. Gardez au frais et consommez dans le mois.

VARIANTE
Confectionnez du pickle de chou rouge en le faisant bouillir dans du vinaigre avec du sucre et des épices.

Crème aux deux citrons

Cette crème citronnée onctueuse remplacera délicieusement
la confiture, avec des toasts ou des muffins.

INGRÉDIENTS

* 120 g de beurre
* 3 œufs
* le zeste râpé et le jus de 2 citrons jaunes

* le zeste râpé et le jus de 2 citrons verts
* 230 g de sucre en poudre

Pour 2 pots de 450 g de crème

1

Posez une jatte résistant à la chaleur sur une grande casserole d'eau bouillante. Ajoutez le beurre.

2

Battez légèrement les œufs et incorporez-les au beurre.

3

Ajoutez les zestes et jus des 2 types de citrons, puis le sucre.

4

Remuez constamment jusqu'à épaississement. Versez la crème dans des pots stérilisés. Couvrez d'un disque de paraffine, puis de cellophane, ficelez fermement. La crème se conserve jusqu'à 1 mois dans un endroit sombre et frais. Après ouverture, gardez-la au réfrigérateur et consommez dans la semaine.

Confiture de fraises

Cette recette classique est toujours appréciée. Laissez refroidir la confiture avant de remplir les pots, afin que les fruits ne remontent pas à la surface.

INGRÉDIENTS

* 1,5 kg de fraises
* le jus d'1/2 citron
* 1,5 kg de sucre cristallisé

Pour 2,25 kg de confiture environ

1

Équeutez les fraises.

2

Mettez les fraises dans une bassine à confiture avec le jus de citron. Écrasez quelques fruits. Laissez mijoter 20 min, jusqu'à ce que les fraises soient cuites.

3

Mettez le sucre à dissoudre lentement, sur feu doux. Faites ensuite bouillir à gros bouillons, pour atteindre le point de gélification.

4

Laissez reposer afin que les fraises soient bien réparties. Versez la confiture dans des pots stérilisés. Couvrez d'un disque de paraffine, puis de cellophane, fermez. La confiture se conserve jusqu'à 1 an dans un endroit sombre et frais. Après ouverture, gardez-la au réfrigérateur et consommez dans la semaine.

Gelée de pommes sauvages

*Bien que les pommiers sauvages soient surtout décoratifs avec leurs petites pommes rouges,
cette recette emploie merveilleusement leurs fruits.*

INGRÉDIENTS

* *sucre à confiture (900 g au moins)*
* *1 kg de pommes sauvages*
* *3 clous de girofle*
* *eau*

Pour environ 1 kg de gelée/60 cl de jus

1

Préchauffez le four à 120 °C (th. 3). Mettez le sucre à confiture dans un plat creux et chauffez-le 15 min au four. Lavez les pommes et coupez-les en deux sans les peler. Placez les pommes et les clous de girofle dans une grande casserole.

2

Recouvrez d'eau. Portez à ébullition, baissez le feu et laissez frémir jusqu'à cuisson des pommes. Passez dans une passoire, mesurez le jus et ajoutez 450 g de sucre pour 60 cl de jus. Chauffez à feu doux, en tournant, pour dissoudre le sucre, puis faites bouillir à gros bouillons jusqu'au point de gélification. Versez dans des pots chauds stérilisés, couvrez et ficelez fermement.

Gelée de pommes et de cynorhodons

*Cette recette utilise les pommes tombées de l'arbre et les fruits de l'églantier cueillis dans les haies.
Riche en vitamine C, elle est aussi très parfumée.*

INGRÉDIENTS

* *1 kg de pommes tombées,
pelées et coupées en quartiers*
* *450 g de cynorhodons bien mûrs*
* *30 cl d'eau bouillante*
* *sucre à confiture (800 g au moins)*

Pour environ 1 kg de gelée/60 cl de jus

*PAGE CI-CONTRE – Grâce aux gelées
de fruits, vous retrouverez les saveurs
de l'été au cœur de l'hiver.*

1

Mettez les pommes en quartiers dans la bassine avec juste assez d'eau pour les recouvrir. Portez à ébullition, puis laissez-les cuire à petit feu. Hachez grossièrement les cynorhodons au mixer, puis ajoutez-les aux pommes dans l'eau bouillante. Laissez frémir 10 min, puis retirez du feu et laissez reposer encore 10 min. Versez le mélange dans une épaisse mousseline suspendue au-dessus d'une jatte et laissez égoutter toute la nuit.

2

Préchauffez le four à 120 °C (th. 3). Mesurez le jus et comptez 400 g de sucre à confiture pour 60 cl de jus. Chauffez le sucre dans le four. Versez le jus dans une casserole, portez à ébullition, incorporez le sucre chaud et remuez pour le dissoudre complètement. Laissez ensuite bouillir pour atteindre le point de gélification. Versez la gelée encore chaude dans des pots stérilisés, couvrez et ficelez fermement.

Marmelade aux trois agrumes

Cette marmelade maison nécessite un certain temps de préparation,
mais elle est infiniment meilleure que celle du commerce.

* 350 g d'oranges
* 350 g de citrons
* 700 g de pamplemousses
* 2,5 l d'eau
* 2,75 g de sucre cristallisé

Pour 6 pots de 450 g de marmelade

1

Rincez et séchez les agrumes, non pelés.

2

Mettez-les dans une casserole. Ajoutez l'eau et laissez frémir environ 2 h.

3

Égouttez les fruits en réservant le liquide de cuisson. Coupez-les en quartiers, retirez la pulpe et incorporez-la au liquide de cuisson réservé.

4

Coupez les zestes en lanières et ajoutez-les dans la casserole. Versez le sucre pour le dissoudre à feu doux. Portez à ébullition, puis laissez cuire jusqu'au point de gélification. Laissez refroidir 1 h afin que les fruits ne remontent pas. Versez la gelée dans des pots stérilisés. Couvrez de paraffine, puis de cellophane, ficelez fermement. Gardez dans un endroit frais.

Prunes pochées à la cannelle et au cognac

Les fruits en conserve s'apprécient toute l'année. Servez ces prunes en dessert,
accompagnées de crème fouettée.

INGRÉDIENTS

* 60 cl de cognac
* le zeste d'1 citron, en un long ruban
* 350 g de sucre cristallisé
* 1 bâton de cannelle
* 900 g de prunes fraîches

Pour 900 g de prunes

1

Mettez le cognac, le zeste de citron, le sucre et la cannelle dans une casserole et faites dissoudre le sucre à feu doux. Ajoutez les prunes et laissez pocher 15 min, jusqu'à ce qu'elles soient cuites. Retirez-les avec une écumoire.

2

Portez le sirop à forte ébullition afin qu'il réduise d'1/3. Passez-le sur les prunes. Transférez le tout dans de grands bocaux stérilisés. Fermez hermétiquement et gardez jusqu'à 6 mois dans un endroit sombre et frais.

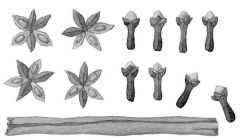

Poires épicées au vinaigre

Ces délicieuses poires se marient remarquablement
avec du jambon blanc ou de la viande froide.

INGRÉDIENTS

* 900 g de poires
* 230 g de sucre cristallisé
* 60 cl de vinaigre de vin blanc
* 1 bâton de cannelle
* 5 étoiles d'anis
* 10 clous de girofle

Pour 900 g de poires

1

Pelez les poires en les gardant entières avec leurs queues. Faites dissoudre le sucre à feu doux dans le vinaigre. Versez sur les poires et laissez pocher 15 min.

2

Ajoutez la cannelle, l'anis étoilé et les clous de girofle, puis faites cuire à frémissement 10 min. Retirez les poires et empilez-les dans des bocaux stérilisés. Laissez frémir le sirop encore 15 min à feu doux, puis versez-le sur les poires. Fermez hermétiquement les bocaux. Les poires se conservent jusqu'à 1 an dans un endroit sombre et frais. Après ouverture, gardez-les au réfrigérateur et consommez dans la semaine.

Vin de pêches

Élaborez et dégustez ce délicieux vin en été,
tel quel ou allongé d'eau pétillante.

INGRÉDIENTS

* 6 pêches mûres
* 1 l de vin blanc sec
* 200 g de sucre en poudre
* 18 cl d'eau-de-vie blanche

Pour 1,2 l de vin environ

1

Pelez, coupez en deux et dénoyautez les pêches. Mettez-les dans une casserole avec le vin blanc et laissez pocher environ 15 min, afin qu'elles soient cuites. Couvrez et laissez macérer toute la nuit.

2

Retirez les pêches, passez le liquide à travers un filtre à café dans une casserole. Ajoutez le sucre et l'eau de vie, faites dissoudre le sucre. Versez le vin dans des bouteilles stérilisées et bouchez. Gardez au réfrigérateur et consommez dans les 2 semaines. Servez frais.

Ratafia de mûres

Un panier plein de mûres vous permettra de confectionner cette délicieuse boisson.

INGRÉDIENTS

* mûres
* sucre cristallisé
* vodka, cognac ou gin

1

Remplissez de mûres des pots stérilisés. Versez du sucre jusqu'au tiers de la hauteur, puis complétez avec l'alcool de votre choix. Fermez les pots et secouez-les pour dissoudre le sucre. Conservez au moins 2 mois.

2

Passez dans une passoire fine (vous pouvez utiliser les fruits pour une tarte), puis versez le ratafia dans des bouteilles stérilisées. Fermez hermétiquement. Le ratafia devrait se garder indéfiniment.

Gin à la prunelle

Alcool traditionnel, accompagnant les jours de fête dans les campagnes.
Cueillez les prunelles après les premières gelées et le gin sera prêt pour Noël.

INGRÉDIENTS

* prunelles
* sucre cristallisé
* gin

1

Lavez les prunelles, retirez les queues. Piquez chaque baie avec une aiguille et remplissez-en un bocal ou une bouteille à large ouverture. Ajoutez du sucre à mi-hauteur et complétez avec le gin. Bouchez.

2

Avant de servir, passez le tout et décantez dans une autre bouteille.

PAGE CI-CONTRE *(de gauche à droite) –*
Ratafia de mûres, gin à la prunelle,
vin de pêches.

Index

INDEX

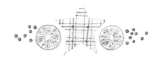